NOUVEAUX CLASS

Collection fondée en 1933 par
FÉLIX GUIRAND

continuée par
LÉON LEJEALLE (1949 à 1968) et **JEAN-POL CAPUT (1969 à 1972)**
Agrégés des Lettres

LES PRÉCIEUSES RIDICULES

comédie

Librairie Larousse (Canada) limitée, propriétaire pour le Canada des droits d'auteur et des marques de commerce Larousse. – Distributeur exclusif au Canada : les Éditions Françaises Inc., licencié quant aux droits d'auteur et usager inscrit des marques pour le Canada.

MADELON

MOLIÈRE

LES PRÉCIEUSES RIDICULES

comédie

avec une Notice biographique, une Notice historique et littéraire,
des Notes explicatives, une Documentation thématique,
des Jugements, un Questionnaire et des Sujets de devoirs,

par

JEAN BALCOU
Agrégé des Lettres
Professeur au Prytanée de La Flèche

LIBRAIRIE LAROUSSE

17, rue du Montparnasse, et boulevard Raspail, 114
Succursale : 58, rue des Écoles (Sorbonne)

RÉSUMÉ CHRONOLOGIQUE
DE LA VIE DE MOLIÈRE
1622-1673

1622 (15 janvier) — Baptême à **Paris,** à l'église Saint-Eustache, de Jean-Baptiste Poquelin, fils aîné du marchand tapissier Jean Poquelin et de Marie Cressé.

1632 (mai) — Mort de Marie Cressé.

1637 — Jean Poquelin assure à son fils Jean-Baptiste la survivance de sa charge de tapissier ordinaire du roi. (Cet office, transmissible par héritage ou par vente, assurait à son possesseur le privilège de fournir et d'entretenir une partie du mobilier royal; Jean Poquelin n'était évidemment pas le seul à posséder une telle charge.)

1639 (?) — Jean-Baptiste termine ses études secondaires au collège de Clermont (aujourd'hui lycée Louis-le-Grand), tenu par les Jésuites.

1642 — Il fait ses études de droit à Orléans et obtient sa licence. C'est peut-être à cette époque qu'il subit l'influence du philosophe épicurien Gassendi et lie connaissance avec les « libertins » Chapelle, Cyrano de Bergerac, d'Assoucy.

1643 (16 juin) — S'étant lié avec une comédienne, **Madeleine Béjart,** née en 1618, il constitue avec elle une troupe qui prend le nom d'**Illustre-Théâtre;** la troupe est dirigée par Madeleine Béjart.

1644 — Jean-Baptiste Poquelin prend le surnom de **Molière** et devient directeur de l'Illustre-Théâtre, qui, après des représentations en province, s'installe à Paris et joue dans des salles de jeu de paume désaffectées.

1645 — L'Illustre-Théâtre connaît des difficultés financières; Molière est emprisonné au Châtelet pour dettes pendant quelques jours.

1645
1658 — Molière part pour la **province** avec sa troupe. Cette longue période de treize années est assez mal connue : on a pu repérer son passage à certaines dates dans telle ou telle région, mais on ne possède guère de renseignements sur le répertoire de son théâtre; il est vraisemblable qu'outre des tragédies d'auteurs contemporains (notamment Corneille) Molière donnait de courtes farces de sa composition, dont certaines n'étaient qu'un canevas que jouaient les acteurs improvisant, à l'italienne.
1645-1653 — La troupe est protégée par le duc d'Epernon, gouverneur de Guyenne. Molière, qui a laissé d'abord la direction au comédien Dufresne, imposé par le duc, reprend lui-même (1650) la tête de la troupe : il joue dans les villes du Sud-Ouest (Albi, Carcassonne, Toulouse, Agen, Pézenas), mais aussi à Lyon (1650 et 1652).
1653-1657 — La troupe passe sous la protection du prince de Conti, gouverneur du Languedoc. Molière reste dans les mêmes régions : il joue le personnage de Mascarille dans deux comédies de lui (les premières dont nous ayons le texte) : *l'Étourdi,* donné à Lyon en **1655,** *le Dépit amoureux,* à Béziers en **1656.**
1657-1658 — Molière est maintenant protégé par le gouverneur de Normandie; il rencontre Corneille à Rouen; il joue aussi à Lyon et à Grenoble.

1658 — Retour à Paris de Molière et de sa troupe, qui devient « troupe de Monsieur »; le succès d'une représentation (*Nicomède* et une farce) donnée devant le roi (24 octobre) lui fait obtenir la **salle du Petit-Bourbon** (près du Louvre), où il joue en alternance avec les comédiens italiens.

1659 (18 novembre) — Première représentation des *Précieuses ridicules* (après *Cinna*) : grand succès.

1660 — *Sganarelle* (mai). Molière crée, à la manière des Italiens, le personnage de **Sganarelle,** qui reparaîtra, **toujours interprété par lui,** dans plusieurs comédies qui suivront. — Il reprend, son frère étant mort, la survivance de la charge paternelle (tapissier du roi) qu'il lui avait cédée en 1654.

© *Librairie Larousse,* 1970.   ISBN 2-03-034666-7

1661 — Molière, qui a dû abandonner le théâtre du Petit-Bourbon (démoli pour permettre la construction de la colonnade du Louvre), s'installe au **Palais-Royal**. *Dom Garcie de Navarre*, comédie héroïque : échec. *L'École des maris* (24 juin) : succès. *Les Fâcheux* (novembre), première comédie-ballet, jouée devant le roi, chez Fouquet, au château de Vaux-le-Vicomte.

1662 — **Mariage** de Molière avec **Armande Béjart** (sœur ou fille de Madeleine), de vingt ans plus jeune que lui. *L'École des femmes* (26 décembre) : grand succès.

1663 — Querelle à propos de l'*École des femmes*. Molière répond par *la Critique de l'* « *École des femmes* » (1er juin) et par *l'Impromptu de Versailles* (14 octobre).

1664 — Naissance et mort du premier enfant de Molière : Louis XIV en est le parrain. *Le Mariage forcé* (janvier), comédie-ballet. Du 8 au 13 mai, fêtes de l' « Ile enchantée » à Versailles : Molière, qui anime les divertissements, donne *la Princesse d'Élide* (8 mai) et les trois premiers actes du *Tartuffe* (12 mai) : **interdiction** de donner à Paris cette dernière pièce. Molière joue *la Thébaïde*, de Racine.

1665 — *Dom Juan* (15 février) : malgré le succès, Molière, toujours critiqué par les dévots, retire sa pièce après quinze représentations. Louis XIV donne à la troupe de Molière le titre de « troupe du Roi » avec une pension de 6 000 livres (somme assez faible, puisqu'une bonne représentation au Palais-Royal rapporte, d'après le registre de La Grange, couramment 1 500 livres et que la première du *Tartuffe*, en 1669, rapportera 2 860 livres). *L'Amour médecin* (15 septembre). Brouille avec Racine, qui retire à Molière son *Alexandre* pour le donner à l'Hôtel de Bourgogne.

1666 — Molière, malade, cesse de jouer pendant plus de deux mois ; il loue une maison à Auteuil. *Le Misanthrope* (4 juin). *Le Médecin malgré lui* (6 août), dernière pièce où apparaît Sganarelle. En décembre, fêtes du « Ballet des Muses » à Saint-Germain : *Mélicerte* (2 décembre).

1667 — Suite des fêtes de Saint-Germain : Molière y donne encore *la Pastorale comique* (5 janvier) et *le Sicilien ou l'Amour peintre* (14 février). **Nouvelle version du Tartuffe**, sous le titre de *l'Imposteur* (5 août) : la pièce est **interdite** le lendemain.

1668 — *Amphitryon* (13 janvier). *George Dandin* (18 juillet). *L'Avare* (9 septembre).

1669 — Troisième version du *Tartuffe* (5 février), enfin **autorisé** : immense succès. Mort du père de Molière (25 février). A Chambord, *Monsieur de Pourceaugnac* (6 octobre).

1670 — *Les Amants magnifiques*, comédie-ballet (30 janvier à Saint-Germain). *Le Bourgeois gentilhomme*, comédie-ballet (14 octobre à Chambord).

1671 — *Psyché*, tragédie-ballet avec Quinault, Corneille et Lully (17 janvier), aux Tuileries, puis au Palais-Royal, aménagé pour ce nouveau spectacle. *Les Fourberies de Scapin* (24 mai). *La Comtesse d'Escarbagnas* (2 décembre à Saint-Germain).

1672 — Mort de Madeleine Béjart (17 février). *Les Femmes savantes* (11 mars). Brouille avec Lully, qui a obtenu du roi le privilège de tous les spectacles avec musique et ballets.

1673 — *Le Malade imaginaire* (10 février). A la quatrième représentation (17 février), Molière, pris en scène d'un malaise, est transporté chez lui, rue de Richelieu, et **meurt** presque aussitôt. N'ayant pas renié sa vie de comédien devant un prêtre, il n'avait, selon la tradition, pas le droit d'être enseveli en terre chrétienne : après intervention du roi auprès de l'archevêque, on l'enterre sans grande cérémonie à 9 heures du soir au cimetière Saint-Joseph.

Molière avait seize ans de moins que Corneille, neuf ans de moins que La Rochefoucauld, un an de moins que La Fontaine.
Il avait un an de plus que Pascal, quatre ans de plus que Mme de Sévigné, cinq ans de plus que Bossuet, quatorze ans de plus que Boileau, dix-sept ans de plus que Racine.

MOLIÈRE ET SON TEMPS

	vie et œuvre de Molière	le mouvement intellectuel et artistique	les événements politiques
1622	Baptême à Paris de J.-B. Poquelin (15 janvier).	Succès dramatiques d'Alarcon, de Tirso de Molina en Espagne.	Paix de Montpellier, mettant fin à la guerre de religion en Béarn.
1639	Quitte le collège de Clermont, où il a fait ses études.	Mainard : Odes. Tragi-comédies de Boisrobert et de Scudéry. Naissance de Racine.	La guerre contre l'Espagne et les Impériaux, commencée en 1635, se poursuit.
1642	Obtient sa licence en droit.	Corneille : la Mort de Pompée (décembre). Du Ryer : Esther.	Prise de Perpignan. Mort de Richelieu (4 décembre).
1643	Constitue la troupe de l'Illustre-Théâtre avec Madeleine Béjart.	Corneille : le Menteur. Ouverture des petites écoles de Port-Royal-des-Champs. Arrivée à Paris de Lully.	Mort de Louis XIII (14 mai). Victoire de Rocroi (19 mai). Défaite française en Aragon.
1645	Faillite de l'Illustre-Théâtre.	Rotrou : Saint Genest. Corneille : Théodore, vierge et martyre.	Victoire française de Nördlingen sur les Impériaux (3 août).
1646	Reprend place avec Madeleine Béjart dans une troupe protégée par le duc d'Épernon. Va en province.	Cyrano de Bergerac : le Pédant joué. Saint-Amant : Poésies.	Prise de Dunkerque.
1650	Prend la direction de la troupe, qui sera protégée à partir de 1653 par le prince de Conti.	Saint-Évremond : la comédie des Académistes. Mort de Descartes.	Troubles de la Fronde : victoire provisoire de Mazarin sur Condé et les princes.
1655	Représentation à Lyon de l'Étourdi.	Pascal se retire à Port-Royal-des-Champs (janvier). Racine entre à l'école des Granges de Port-Royal.	Négociations avec Cromwell pour obtenir l'alliance anglaise contre l'Espagne.
1658	Arrive à Paris avec sa troupe, qui devient la « troupe de Monsieur » et occupe la salle du Petit-Bourbon.	Dorimond : le Festin de pierre.	Victoire des Dunes sur les Espagnols. Mort d'Olivier Cromwell.
1659	Représentation triomphale des Précieuses ridicules.	Villiers : le Festin de pierre. Retour de Corneille au théâtre avec Œdipe.	Paix des Pyrénées : l'Espagne cède l'Artois et le Roussillon à la France.
1660	Sganarelle ou le Cocu imaginaire.	Quinault : Stratonice (tragédie). Bossuet prêche le carême aux Minimes.	Mariage de Louis XIV et de Marie-Thérèse. Restauration des Stuarts.
1661	S'installe au Palais-Royal. Dom Garcie de Navarre. L'École des maris. Les Fâcheux.	La Fontaine : Élégie aux nymphes de Vaux.	Mort de Mazarin (8 mars). Arrestation de Fouquet (5 septembre).

1662	Se marie avec Armande Béjart. L'École des femmes.	Corneille : Sertorius. La Rochefoucauld : Mémoires. Mort de Pascal (19 août). Fondation de la manufacture des Gobelins.	Michel Le Tellier, Colbert et Hugues de Lionne deviennent ministres de Louis XIV.
1663	Querelle de l'École des femmes. La Critique de « l'École des femmes ».	Corneille : Sophonisbe. Racine : ode Sur la convalescence du Roi.	Invasion de l'Autriche par les Turcs.
1664	Le Mariage forcé. Interdiction du premier Tartuffe.	Racine : la Thébaïde ou les Frères ennemis.	Condamnation de Fouquet, après un procès de quatre ans.
1665	Dom Juan. L'Amour médecin.	La Fontaine : Contes et Nouvelles. Mort du peintre N. Poussin.	Peste de Londres.
1666	Le Misanthrope. Le Médecin malgré lui.	Boileau : Satires (I à VI). Furetière : le Roman bourgeois. Fondation de l'Académie des sciences.	Alliance franco - hollandaise contre l'Angleterre. Mort d'Anne d'Autriche. Incendie de Londres.
1667	Mélicerte. La Pastorale comique. Le Sicilien. Interdiction de la deuxième version du Tartuffe : l'Imposteur.	Corneille : Attila. Racine : Andromaque. Milton : le Paradis perdu. Naissance de Swift.	Conquête de la Flandre par les troupes françaises (guerre de Dévolution).
1668	Amphitryon. George Dandin. L'Avare.	La Fontaine : Fables (livres I à VI). Racine : les Plaideurs. Mort du peintre Nicolas Mignard.	Fin de la guerre de Dévolution : traités de Saint-Germain et d'Aix-la-Chapelle. Annexion de la Flandre.
1669	Représentation du Tartuffe. Monsieur de Pourceaugnac.	Racine : Britannicus. Fondation de l'Académie royale de musique et de danse.	
1670	Les Amants magnifiques. Le Bourgeois gentilhomme.	Racine : Bérénice. Corneille : Tite et Bérénice. Édition des Pensées de Pascal. Mariotte découvre la loi des gaz.	Mort de Madame. Les états de Hollande nomment Guillaume d'Orange capitaine général.
1671	Psyché. Les Fourberies de Scapin. La Comtesse d'Escarbagnas.	Débuts de la correspondance de M᷏ᵐᵉ de Sévigné avec M᷏ᵐᵉ de Grignan.	Louis XIV prépare la guerre contre la Hollande.
1672	Les Femmes savantes. Mort de Madeleine Béjart.	Racine : Bajazet. Th. Corneille : Ariane. P. Corneille : Pulchérie.	Déclaration de guerre à la Hollande. Passage du Rhin (juin).
1673	Le Malade imaginaire. Mort de Molière (17 février).	Racine : Mithridate. Séjour de Leibniz à Paris. Premier grand opéra de Lully : Cadmus et Hermione.	Conquête de la Hollande. Prise de Maestricht (29 juin).

BIBLIOGRAPHIE SOMMAIRE

OUVRAGES GÉNÉRAUX SUR MOLIÈRE

Antoine Adam   *Histoire de la littérature française au XVIIᵉ siècle*, tome III (Paris, Domat, 1952).

Alfred Simon   *Molière par lui-même* (Paris, Ed. du Seuil, 1957).

SUR LES IDÉES DE MOLIÈRE

Paul Bénichou   *Morales du Grand Siècle*, p. 156 à 218 (Paris, Gallimard, 1948).

SUR LA TECHNIQUE DRAMATIQUE DE MOLIÈRE

René Bray   *Molière, homme de théâtre* (Paris, Mercure de France, 1954).

SUR LA PRÉCIOSITÉ

Abbé de Pure   *la Prétieuse ou le Mystère des ruelles* (Paris, Droz, nouvelle édition, 2 vol., 1938).

Henri Cottez   *Molière et Mᶫᶫᵉ de Scudéry* (dans la *Revue d'histoire de la philosophie et d'histoire générale de la civilisation*, Lille, 1943).

René Bray   *la Préciosité et les Précieux* (Paris, Albin Michel, 1948).

Georges Mongrédien   *les Précieux et les Précieuses* (Paris, Mercure de France, 1963).

SUR « LES PRÉCIEUSES RIDICULES »

Antoine Adam   *la Genèse des « Précieuses ridicules »* (dans la *Revue d'histoire de la philosophie et d'histoire générale de la civilisation*, Lille, 1939).

SUR LA LANGUE DE MOLIÈRE

Jean-Pol Caput   *la Langue française, histoire d'une institution*, tome I (842-1715) [Paris, Larousse, collection L, 1972].

Jean Dubois,
René Lagane
et A. Lerond   *Dictionnaire du français classique* (Paris, Larousse, 1971).

Vaugelas   *Remarques sur la langue française* (Paris, Larousse, « Nouveaux Classiques », 1969).

LES PRÉCIEUSES RIDICULES
1659

NOTICE

CE QUI SE PASSAIT EN 1659

■ *EN POLITIQUE.* En France : *signature dans l'île des Faisans, au nom de la France et de l'Espagne, du traité des Pyrénées. En Angleterre : abdication de Richard, fils de Cromwell.*

■ *DANS LES LETTRES :* Corneille retrouve le succès avec Œdipe. *Quinault fait représenter à l'Hôtel de Bourgogne la Mort de Cyrus et le Mariage de Cambyse. M*lle *de Montpensier publie la Galerie des portraits et Maulévrier la Carte du royaume des Précieuses. Sorel parodie le genre du portrait dans l'Île de portraiture. De 1654 à 1661 paraissent les dix volumes de la Clélie où figure la carte du Tendre. La Grange commence à rédiger son Registre.*

■ *DANS LES SCIENCES :* Huygens découvre l'anneau de Saturne *et invente le micromètre.*

CIRCONSTANCES ET DATE DE LA REPRÉSENTATION. PUBLICATION DE L'ŒUVRE

Quand Molière rentre à Paris en 1658, il a trente-six ans. Depuis treize années, il parcourt la province. Il lui reste à conquérir la faveur de la capitale et, d'abord, de la Cour. Tâche peu facile : car c'est dans la tragédie que l'acteur veut s'imposer. Bien sûr, le théâtre du Marais, pour qui le jour de gloire fut, en 1636, la première du *Cid*, n'est plus un concurrent dangereux. Mais peut-on rivaliser avec les « grands comédiens de l'Hôtel de Bourgogne » ? Quant à la comédie, la voilà discréditée depuis longtemps à Paris. Seuls, les Italiens de Scaramouche font recette. Jodelet, il est vrai, est toujours là. Et la ténacité de Molière va porter ses fruits. Tout inconnu qu'il est, il obtient la protection de « Monsieur, frère unique de Sa Majesté », qui patronne sa troupe. Il est présenté en cette qualité au roi et à la reine mère. Le 24 octobre 1658, devant Leurs Majestés, toute la Cour, et même les comédiens de l'Hôtel de Bourgogne, Molière choisit de représenter *Nicomède*. Si la tragédie ne plaît pas outre mesure, en revanche, la petite comédie du *Docteur amoureux*, qui suit et que Molière se risque à jouer après un compli-

ment habilement tourné, est favorablement accueillie. C'est ainsi que Molière obtient, en récompense, la salle du Petit-Bourbon « pour y représenter la comédie alternativement avec les comédiens-italiens » (La Grange). Le 3 novembre 1658, il y joue avec succès *l'Étourdi* et *le Dépit amoureux*. Puis il consolide son effectif. A Pâques 1659, il s'adjoint le fameux farceur Jodelet. La Grange et Du Croisy, deux jeunes gens de vingt ans, offrent leurs services. A Molière, à présent, de trouver le sujet qui établisse sa gloire.

Or, quel sujet plus actuel que la préciosité? Des lectures préparatoires, comme cela se pratique, font une bonne publicité à la future pièce qu'il vient d'écrire. Ainsi, le mardi 18 novembre 1659, après *Cinna*, sont données, pour la première fois en public, *les Précieuses ridicules*, farce en un acte. « Mme de Rambouillet y était, rapporte Ménage, ainsi que Mme de Grignan et tout le cabinet de l'Hôtel de Rambouillet. » Tous applaudirent et, particulièrement, un parterre enthousiaste. Bien que le prix des places ne soit pas doublé, comme il est d'usage pour une première représentation, la recette atteint le chiffre élogieux de 533 livres. Puis, pour des raisons inconnues, la pièce quitte l'affiche pour la reprendre le 2 décembre. Cette fois, les prix sont doublés. La recette monte d'un seul coup à 1400 livres. Du 12 décembre au 26 décembre, seconde interruption : on a toutes raisons de croire avec Somaize qu'un « alcoviste[1] de qualité » est intervenu en la matière. Mais le succès ne fait que croître. Le 29 juillet 1660, le roi, au retour des Pyrénées, se fait représenter la pièce à Vincennes. Le 26 octobre de la même année, Molière et sa troupe sont les hôtes du cardinal Mazarin. Le ministre applaudit *les Précieuses ridicules;* le jeune roi, dit-on, debout derrière le fauteuil de Mazarin, les apprécie pour la seconde fois. La Cour, après la ville, salue le chef-d'œuvre.

Mais il n'est pas que la représentation qui suscite des ennuis à Molière. Il faut dire un mot de ces démêlés avec lesquels il est aux prises dès janvier 1660 et qui l'obligent à publier, pour la première fois, son œuvre. Le 7 janvier, Somaize, « famélique homme de lettres », selon Antoine Adam, publie *les Véritables Précieuses*, avec une violente préface dirigée contre Molière. Le 12, le même individu dérobe une copie de la pièce (voir la Préface, page 23) et la vend pour 100 francs au libraire Ribou. Ce dernier obtient par surprise le privilège de l'impression.

Molière est obligé de se défendre : le privilège de Ribou est annulé. Le libraire de Luynes, ami de Molière, obtient, le 19 janvier, lendemain de l'annulation, le privilège « d'imprimer, vendre et débiter *les Précieuses ridicules* représentées au Petit-Bourbon,

---

1. *Alcoviste :* nom donné, chez les Précieuses, à celui qui remplissait l'office du chevalier servant et qui les aidait à faire les honneurs de leur maison et à diriger la conversation; ainsi dit de l'alcôve contenant la ruelle où les Précieuses recevaient (Littré).

pendant cinq années ». C'est alors sans doute que Somaize imagine de mettre en vers la prose de Molière et publie en avril chez Ribou *les Précieuses ridicules*, comédie représentée au Petit-Bourbon, nouvellement mise en vers, sans que de Luynes puisse en interdire la vente, puisqu'il s'agissait d'une œuvre « originale ». Toute cette affaire, en tout cas, a pour résultat de faire de Molière un écrivain.

Faut-il également mettre à l'actif des ennemis de Molière son expulsion du Petit-Bourbon en octobre 1660 ? Le poète, en effet, n'a pas été avisé à temps que son théâtre allait être démoli afin d'ériger la colonnade du Louvre. Molière erre donc, un certain temps, sans théâtre, avant de trouver asile dans la magnifique salle du Palais-Royal, qu'il ne doit plus quitter. Une autre publication est encore à citer : celle du *Récit en prose et en vers de la farce des Précieuses*[1], de Marie-Catherine Desjardins. Journaliste, auteur dramatique et amie de Molière, elle nous a donné le compte rendu d'une répétition ou de la première des *Précieuses ridicules*, et peut-être sous les yeux de Molière lui-même. La lecture de ce récit montre que Molière a peu à peu resserré l'intrigue et atténué la bouffonnerie de sa pièce.

Notons enfin, pour mémoire, trois anecdotes, qui, pour discutables qu'elles soient, n'en sont pas moins intéressantes. C'est d'abord un vieillard qui, lors de la première représentation, s'écrie : « Courage, Molière, voilà de la bonne comédie! » Plus suspecte est la soudaine conversion du bel esprit Ménage, le futur Vadius des *Femmes savantes*, qui, au sortir d'une représentation des *Précieuses ridicules*, aurait dit à Chapelain, en le prenant par la main : « Monsieur, nous approuvions vous et moi toutes les sottises qui viennent d'être critiquées si finement et avec tant de bon sens; mais, croyez-moi, il nous faudra brûler ce que nous avons adoré et adorer ce que nous avons brûlé. » Quelle décision enfin dans cette proclamation du jeune auteur qui vient de trouver sa voie : « Je n'ai plus que faire d'étudier Plaute et Térence, ni d'éplucher les fragments de Ménandre : je n'ai plus qu'à étudier le monde. »

Le succès des *Précieuses ridicules* s'est maintenu au cours des siècles. Entrée au répertoire de la Comédie-Française en 1680, cette courte pièce, qui fait souvent office de lever de rideau, a été jouée 1 240 fois sur ce même théâtre jusqu'en 1967.

ANALYSE DE LA PIÈCE

(Les scènes principales sont indiquées entre parenthèses.)

Deux gentilshommes, La Grange et Du Croisy, expriment leur colère en évoquant l'accueil méprisant que viennent de leur réser-

1. Dans ses *Variétés historiques et littéraires*, Édouard Fournier a donné en 1856 une édition nouvelle de ce petit volume. On peut également le lire à la suite des *Précieuses ridicules*, dans la Collection des Grands Écrivains de France, au tome II des livres de Molière (p. 117 à 134).

ver Cathos et Magdelon, deux jeunes provinciales installées depuis peu à Paris **(scène première)**. Gorgibus survient, soupçonne les causes de l'incident et demande à sa fille Magdelon et à sa nièce Cathos une explication que celles-ci s'empressent de lui fournir. A Gorgibus exaspéré, les deux Précieuses exposent leur conception romanesque du mariage et les lois de la galanterie **(scène IV)**. Mais voici qu'on annonce le marquis de Mascarille. Il se prend de querelle avec ses porteurs et fournit aux Précieuses un véritable récital de bel esprit émaillé d'une vulgarité et d'un ridicule qu'elles ne cessent d'admirer **(scène IX)**. Puis c'est l'arrivée du vicomte de Jodelet, un ami de Mascarille. Embrassades et présentation. Dans le ton de la farce, les deux compères rappellent leurs exploits de guerre, font assaut de prévenances et proposent d'organiser un bal **(scène XI)**. Au milieu de la danse surgissent Du Croisy et La Grange, qui rossent le marquis et le vicomte et les dépouillent de leurs habits, à la plus grande confusion de nos deux Précieuses **(scène XV)**. Gorgibus vient les tancer et tire la leçon de la pièce.

LES SOURCES DE LA PIÈCE

Les démêlés de la représentation, puis de la publication des *Précieuses ridicules* nous montrent dans quelle atmosphère de fièvre lutte Molière. Rien d'étonnant donc qu'on le traite également de « plagiaire ». Déjà, les comédiens de l'Hôtel de Bourgogne vont jusqu'à l'accuser de se servir des Mémoires du farceur Guillot-Gorju qu'il aurait achetés à sa veuve. Mais c'est évidemment Somaize que nous retrouvons encore : Molière, dit-il, a copié *les Précieuses* de l'abbé de Pure, jouées par les comédiens-italiens et inspirées d'un roman du même abbé : *le Mystère de la ruelle*, publié en 1656. Or, Molière se trouve loin de Paris à cette époque, la pièce est jouée aux Italiens sous la forme de la « commedia dell' arte ». Il s'agit donc d'un simple canevas servant de point de départ à l'improvisation : et la pièce n'a jamais été imprimée.

Bien sûr, le thème choisi par Molière n'est pas neuf. La substitution du valet au maître a été employée avec succès par Scarron dès 1645 dans une farce dont le titre est précisément *Jodelet ou le Maître valet*. Scarron a en outre publié, en 1648, *l'Héritier ridicule*, dont l'action s'apparente à celle des *Précieuses ridicules* : « Un jeune homme riche, pour savoir s'il est aimé pour son charme ou son argent, feint d'être déshérité au profit d'un sien cousin, lequel n'est autre que Jodelet; ce dernier va trouver la belle, fait le précieux, et la jeune fille se laisse prendre au piège. » Autre farce qui fait penser à celle de Molière : *le Cercle des femmes*, publié par Chappuzeau, à Lyon, en 1656 : « Hortense, jurisconsulte, veuf et tenant pensionnaires, est amoureux d'Emilie, jeune veuve d'un savant esprit et tenant salon précieux. Mais le père d'Emilie veut pour sa fille un « homme de qualité ». L'amant rebuté envoie à sa

belle son valet Guillot déguisé en marquis. Celui-ci commence à plaire, quand deux sergents surviennent et l'arrêtent pour dettes. Alors Emilie accable son père pour avoir agréé un tel prétendant. » Notons qu'aucun contemporain n'a rapproché ces deux pièces, dont l'une remonte à onze ans, de celle de Molière. Scarron et Chappuzeau n'en ont rien dit. Du reste, le thème du sot berné ou du valet maître ne fait-il pas partie du répertoire traditionnel de la farce ? On verra d'ailleurs plus loin comment Molière en a étoffé l'intrigue. Mais si la pièce de Molière a triomphé, c'est que la farce se double d'une comédie dont les modèles véritables sont les Précieux.

LA SATIRE DE LA PRÉCIOSITÉ

Avant de montrer les rapports entre Molière et la préciosité pour établir ses intentions réelles au moment des *Précieuses ridicules*, il faut s'interroger sur la préciosité elle-même. Au sens large, la préciosité peut se définir comme un maniérisme exagéré de la pensée et du langage, lié au goût de la distinction « à tout prix » : la préciosité peut donc se retrouver de la période alexandrine à nos jours, de Sénèque à Mallarmé ou à Giraudoux ; de même, elle a pu se développer dans tous les pays, aussi bien dans les cours arabes qu'en Grande-Bretagne. Mais dans un sens plus restreint, c'est à la fin du XVIe siècle que la préciosité se met à fleurir dans l'Europe occidentale. En Angleterre, le roman de John Lyly, intitulé *Euphues* (« le Bien-Né »), publié en 1579, lui donne le nom d'*euphuisme*; en Espagne, c'est du poète Gongora (1561-1627) qu'elle tire le nom de *gongorisme*; en Italie, le *marinisme* tire son origine du nom du poète Marini (1569-1625). En France, Desportes (1546-1606), suivant d'ailleurs, en partie, les idées de la littérature courtoise du Moyen Age et les métaphores pétrarquisantes des poètes de la Pléiade, doit à son importante personnalité d'être décoré par R. Bray du titre d' « empereur des Précieux ». Pourtant, aucun poète ne réussit à donner son nom au mouvement qui va se développer en France et qui porte le nom, abstrait et général, de *préciosité*.

En effet, après le règne d'Henri IV, où le soldat et la licence sont à l'honneur, la réaction qui se dessine n'est pas seulement d'ordre littéraire. Si le langage doit gagner en délicatesse, il s'agit, avant tout, de restaurer la politesse dans les mœurs. Toute l'élite de la société va y participer et, dans cet effort de distinction, louable au départ, les femmes, retrouvant leur empire, brillent d'un éclat particulier. N'en citons que quelques-unes : Mme des Loges, la vicomtesse d'Auchy et, la plus célèbre de toutes, Catherine de Vivonne, marquise de Rambouillet. Cette Italienne, naturalisée française, a fait construire en 1604, rue Saint-Thomas-du-Louvre, l'hôtel de Rambouillet, dont elle a dressé elle-même les plans.

C'est là qu'à partir de 1610 environ elle reçoit ses intimes dans sa chambre d'apparat peinte en bleu, couleur exceptionnelle à l'époque, et qui est appelée la « Chambre bleue ». « L'hôtel de Rambouillet, écrit Tallemant des Réaux, était pour ainsi dire le rendez-vous de ce qu'il y avait de plus galant à la Cour et de plus poli parmi les beaux esprits du siècle. » La Rochefoucauld et Condé, entre autres, sont des hôtes assidus. Corneille y lit *Polyeucte*. Le jeune Bossuet, à minuit, improvise un sermon, ce qui fait dire à Voiture, animateur du cercle, l' « âme du rond », qu'on n'avait jamais vu prêcher ni « si tôt » ni « si tard ». Et la maîtresse du lieu, l'imcomparable « Arthénice » (anagramme de *Catherine*, inventé par Malherbe), — assistée de ses deux filles : Julie, qui soumit son amoureux, le duc de Montausier, à treize années de fiançailles, et Angélique-Clarice — règne sur tout. Mais que faire en un salon à moins que l'on ne cause? Et de disserter sans fin d'amour. Les questions galantes sont de mode, comme celle-ci, la plus importante de toutes : « Le mariage est-il compatible avec l'amour? » La littérature occupe, évidemment, la place de choix. On commente *l'Astrée*, on écrit aussi, en vers surtout. *La Guirlande de Julie*, recueil de madrigaux en l'honneur de la fille de la marquise, en est le plus galant témoignage. On s'amuse même. Voiture, dans une lettre fameuse, nous conte comment il fut, un jour, condamné à être « berné », c'est-à-dire lancé en l'air dans une couverture. On offre à ces dames des « cadeaux », ou collations à la campagne. Tous les contemporains célèbrent Mme de Rambouillet : « Elle était, dit Segrais, admirable : elle était bonne, douce, bienfaisante et accueillante, et elle avait l'esprit droit et juste. » Tous aussi célèbrent son hôtel : « Il n'y a lieu au monde, écrit Chapelain à Guez de Balzac, où il y ait plus de bon sens et moins de pédanterie. »

Mais qui ne voit déjà les dangers de cette préciosité, confinée dans l'artifice des salons? « Il faut savoir jusqu'où on peut aller trop loin », écrit Cocteau. Or, les salons, qui se multiplient vers 1650 à une telle rapidité qu'au dire de l'abbé de Pure « il est impossible de savoir comment la chose s'est rendue si commune », vont transformer la préciosité en singularité et la finesse du langage en galimatias. La mort de Voiture, en 1648, a marqué la fin de la période brillante de l'hôtel de Rambouillet. Lui succèdent les salons à alcôve et ruelles de Mmes de Sablé, de Sully, de la Suze et surtout celui de Mlle de Scudéry. Bientôt les bourgeoises recevront dans leur salle basse.

Alors, pendant une dizaine d'années, de 1650 à 1660, l'esprit précieux se donne libre carrière. « La préciosité, écrit R. Bray, au sens le plus strict, est un mouvement d'idées qui se développent à Paris au milieu du XVIIe siècle et plus précisément de 1650 à 1660. Sa croissance est plus rapide que son déclin. » C'est justement la grande époque de Madeleine de Scudéry. Dans son salon du Marais, tous les samedis, à partir de 1652, « Sapho » reçoit gens de lettres

et bourgeoises. On y commente les œuvres de la maîtresse du logis : ses dix volumes du *Grand Cyrus* (1649-1653), d'où les habitués tirent leur pseudonyme galant, et ses dix volumes de la *Clélie* (1654-1661), où apparaît la fameuse carte du Tendre. On obéit aveuglément aux lois de la galanterie, codifiées dans un opuscule anonyme paru en 1644 et réédité en 1658. On y potine, on y chante, on y versifie à qui mieux mieux. Les madrigaux (25 en une seule soirée sur le même sujet) succèdent aux épigrammes, les blasons aux bouts-rimés. Nul n'a de l'esprit hors elle et ses amis. Il s'agit avant tout de donner un « prix » inestimé à sa personne (par le costume[1], le visage, la voix[2]), à son langage (abus des adverbes, des mots abstraits, des métaphores), à ses sentiments (obsession de l'amour romanesque, opposition au caractère « choquant » du mariage[3]).

Les documents sur la préciosité en province sont rares, mais on peut aisément imaginer dans quel état elle passe de la ruelle parisienne à la salle basse des Cathos et des Magdelons. Notons pourtant cette relation de Chapelle et Bachaumont, lors de leur voyage en Provence en 1663 : « Nous trouvâmes un grand nombre de dames [...]. A leurs petites mignardises, leur parler gras, et leurs discours extraordinaires, nous crûmes bientôt que c'était une assemblée de Précieuses de Montpellier; mais bien qu'elles fissent de nouveaux efforts à cause de nous, elles ne paraissaient que des Précieuses de campagne, et n'imitaient que faiblement les nôtres de Paris. »

Or, c'est justement au moment où triomphe la *Clélie* que Molière rentre à Paris et va jouer *les Précieuses*. Le mal est donc d'actualité. Mais le bon sens a déjà protesté. Dès 1637, Desmarets de Saint-Sorlin écrit *les Visionnaires*. En 1652, Scarron publie son *Épître chagrine*, plaignant ces Précieuses :

> ... de qui tout le bon
> Est seulement un langage ou jargon,
> Un parler gras, plusieurs sottes manières,
> Et qui ne sont enfin que façonnières.

L'année 1654 voit, en même temps, la représentation d'un ballet de Maulévrier, *la Déroute des Précieuses*, qui tourne en ridicule les mines d'Angélique-Clarice d'Angennes, seconde fille de la marquise de Rambouillet, et la publication d'une cruelle parodie de l'abbé d'Aubignac intitulée *Relation véritable du royaume de Bracquerie*, où la Précieuse est une rivière qui sépare le pays des Bracques

---

1. En 1660, Somaize note que « les dames portent des coiffures en pointe; elles brandissent une petite canne; elles abusent de rubans. Les hommes ont la perruque longue, des plumes extravagantes sur chapeaux, des rabats qui descendent dans le dos, des canons à trois étages autour de la jambe »; 2. « Les dames, dit Mlle de Montpensier, penchent la tête sur l'épaule, font des mines des yeux et de la bouche. » (Voir encore le portrait de Climène dans *la Critique de « l'École des femmes »* [1663].); 3. Ninon de Lenclos appelle joliment les Précieuses des « jansénistes de l'amour ».

de la Prudomagne. En 1656, l'abbé de Pure publie le Mystère de la ruelle, dont il tire une farce jouée par les Italiens. En 1656 encore, Saint-Evremond, dans la satire du Cercle, raille la casuistique amoureuse des Précieuses. Notons enfin les pièces de Scarron et de Chappuzeau citées plus haut (voir Sources de la pièce, page 12). C'est dans cette polémique « anti-Précieuse » qu'il faut placer la comédie de Molière.

Pourtant, l'audace est grande de s'attaquer ainsi, pour la première fois, en plein théâtre, d'une manière aussi nette, à des personnages connus. Le prénom de « Magdelon » est un diminutif qui convient aussi bien à l'actrice Madeleine Béjart qu'à Madeleine de Scudéry; Marotte ridiculise la filofie du grand Cyre et les deux pecques se fient aveuglément à la carte du Tendre. La phrase de Cathos : « Je trouve le mariage une chose tout à fait choquante » évoque tel mot de Mlle de Scudéry : « Je veux un amant sans avoir un mari. » La repartie de Mascarille : Les gens de qualité savent tout sans avoir jamais rien appris ne laisse pas de faire penser à cet aveu de Sapho elle-même : « Sans qu'on ait presque jamais su dire que Sapho ait rien appris, elle sait pourtant toutes choses. » Bien sûr, les habitués des samedis n'ont jamais tenu le langage de Cathos et de Magdelon, mais c'est au poète comique de transformer la réalité en caricature.

Est-il d'ailleurs bien vrai que la fausse préciosité soit seule visée par Molière? Le problème est toujours débattu. Molière tente de se justifier de son mieux : « Les véritables Précieuses, dit la Préface, auraient tort de se piquer lorsqu'on joue les ridicules qui les imitent mal. » Dans la même page, il semble rendre hommage à la vraie préciosité, quand il parle de ces « vicieuses imitations de ce qu'il y a de plus parfait ». Les applaudissements de l'Hôtel de Rambouillet, l'invitation que lui fait la marquise, trois ans plus tard, de venir jouer chez elle l'École des maris témoignent que les hôtes de la « Chambre bleue » ne se sentent pas visés. Et pour bien prouver ses intentions réelles, Molière fait représenter au Petit-Bourbon, en mai 1660, les Fausses Précieuses, de Gilbert. On peut encore arguer que Molière lui-même est sensible au charme et à la délicatesse de la vraie préciosité. C'est non seulement dans les Amants magnifiques, Psyché ou Amphitryon que se manifestent le goût brillant du romanesque et une belle délicatesse dans la peinture de l'amour, qui fait déjà penser à Marivaux, mais encore dans les pièces les plus connues : relisons, par exemple, tout le début de l'Avare.

Mais, en réalité, est-il si facile, dans la préciosité, de séparer le bon grain de l'ivraie? On a tout de suite remarqué que, si « Cathos » est le diminutif de la comédienne Catherine de Brie (qui tenait le rôle), il est peut-être aussi celui de Catherine de Rambouillet. Et Tallemant des Réaux n'hésite pas à voir en elle l'un des « originaux des Précieuses ridicules ». Somaize à son tour de pousser les hauts

cris et de reprocher à Molière « son insolence effrontée et sa satire mal déguisée sous des images grotesques ». Dans la *Satire X*, Boileau parlera de

> ....ces esprits jadis si renommés
> Que d'un coup de son art Molière a diffamés.

Au XIXe siècle, Brunetière abonde dans le même sens : « Il n'est pas douteux, affirme-t-il, quoi qu'on ait prétendu, que, dans *les Précieuses*, Molière ait visé non seulement les pecques provinciales mais l'Hôtel de Rambouillet lui-même. » Et, dès la première scène, en effet, La Grange n'hésite pas à généraliser sa protestation en s'écriant : « L'air précieux n'a pas seulement infecté Paris, il s'est aussi répandu dans les provinces. » Malgré la présence de tout l'Hôtel de Rambouillet à la première des *Précieuses ridicules*, malgré l'attitude de la marquise, malgré les assurances de Molière, c'est le principe même de la préciosité qui est atteint.

Que la polémique « anti-précieuse » ne fasse pas oublier les autres éléments satiriques de la pièce. Mascarille est aussi un marquis qui se double d'un poète. Or, le marquis, comme le poète mondain (pensons au *Misanthrope* ou aux *Femmes savantes*), avec quelle verve le théâtre de Molière les ridiculisera-t-il ! Et les nasardes lancées en passant aux « grands comédiens » de l'Hôtel de Bourgogne, développées plus tard dans *l'Impromptu de Versailles*, ajoutent encore au caractère polémique de la comédie.

LE COMIQUE

Le titre lui-même est déjà d'un contraste alléchant. L'adjectif *ridicules* accolé avec *Précieuses* est significatif. Il appelle le rire. Et la lecture ou, mieux encore, le spectacle en montrent toutes les gammes.

Les Précieuses ridicules sont avant tout une farce : c'est ainsi que Molière l'a voulu. Mlle Desjardins a le droit d'intituler son ouvrage *Récit de la farce des Précieuses*, et l'auteur d'être appelé, comme on l'a fait, le « premier farceur de France ». Ce genre de spectacles avait dû régaler son public de province. Le séjour à Lyon, ce haut lieu du rire, lui avait montré l'éternel succès du thème traditionnel du sot berné. Au Petit-Bourbon, le partage de la salle avec les Italiens lui permet d'applaudir la maîtrise de leur pantomime et les ressources de la « commedia dell' arte ».

Dans *les Précieuses ridicules*, certains acteurs gardent, selon la tradition de la farce, leur nom de guerre, comme La Grange et Du Croisy, ou apparaissent sous des diminutifs transparents, comme « Cathos » et « Magdelon ». Gorgibus et Mascarille sortent du répertoire, et Jodelet à lui seul est tout un programme[1]. Le masque

---

1. Voir les notes sur les personnages, page 26.

de Mascarille[1], la figure enfarinée de Jodelet, les immenses canons[2] du premier, la douzaine de gilets que le second dépouille successivement à la fin, l'habit de Gorgibus à la mode de l'ancien temps, tout cela crée une atmosphère de carnaval. Et, comme au carnaval, on y danse. Fort mal, comme Mascarille le grotesque, fort lourdement comme Jodelet le septuagénaire. On chante aussi, agrémentant la chanson de toutes sortes de miaulements. On s'embrasse, on se tire la révérence, on se découvre pour faire voir ses plaies. Aux coups succèdent les coups : souffleté le porteur, bastonnés les deux compères, bastonnés les violons! Et la chaise à porteurs secouée entre les murs étroits! Et les spadassins l'épée au poing! Et puis, selon les procédés de la « commedia dell' arte », les acteurs improvisent, ajoutent à la pantomime (dépouillé de ses gilets, Jodelet vient se réchauffer à la rampe) et aux plaisanteries. Car les plaisanteries les plus grosses (ainsi l'histoire de *la lune tout entière* ou du *régiment de cavalerie sur les galères de Malte*) ne manquent pas, sans compter celles que l'auteur a supprimées à l'impression. Dans le récit de Mlle Desjardins, Cathos réclame une soucoupe inférieure (on voit pourquoi!) et Jodelet se vante de sa balle éternuée. Mais quitte parfois à se les renvoyer en de plaisants échos (*Demandez à Monsieur le Vicomte — Demandez à Monsieur le Marquis*, [scène XV]), comme les personnages aiment à jongler avec les mots! Aux grossières plaisanteries du clown, aux invectives martelées du bourgeois répond le comique verbal de la parodie précieuse.

Grossière, certes, est la parodie. A l'image d'Aristophane singeant les tragiques grecs, Molière singe les Précieux, puise dans leur attirail en exagérant leurs manies pour les ridiculiser. Les *chaises de commodité* désignent bien les fauteuils, mais Molière supprime le terme concret *chaises*, qui éclaire le sens de l'expression, et ajoute un déterminant abstrait *(la conversation)*, assaisonne le tout d'un verbe d'action *(voiturer)* et la phrase ainsi construite *(Voiturez-nous ici les commodités de la conversation)* devient ridicule. Les Précieuses usent de la métaphore, mais le filer à la manière de Cathos, de Magdelon et de Mascarille appartient au poète comique. Elles emploient des adverbes, des superlatifs; elles s'interpellent d'expressions comme « ma chère », et Molière organise, accumule ces tournures, nous en accable, à seule fin de faire rire.

---

1. Voici, par Mlle Desjardins, la description détaillée du costume de Molière dans le rôle de Mascarille : « Sa perruque était si grande qu'elle balayait la place à chaque fois qu'il faisait la révérence, et son chapeau si petit qu'il était aisé de juger que le marquis le portait plus souvent dans la main que sur la tête; son rabat se pouvait appeler un honnête peignoir, et ses canons semblaient n'être faits que pour servir de caches aux enfants qui jouent à cligne-musette. Un brandon de glands lui sortait de sa poche comme d'une corne d'abondance, et ses souliers étaient si couverts de rubans qu'il ne m'est pas possible de vous dire s'ils étaient de roussi, de vache d'Angleterre ou de maroquin. Du moins sais-je bien qu'ils avaient un demi-pied de haut »; 2. *Canons* : Bandes de dentelle froncée qui, serrées au genou, enveloppaient la jambe.

Cette caricature constante des procédés met le comique au service de la satire.

Quant au comique de situation, il vient, lui aussi, tout droit de la farce. Mais au lieu d'un sot berné, comme dans la farce lyonnaise ou les œuvres de Scarron et de Chappuzeau, Molière nous présente le tandem Cathos-Magdelon berné par le tandem La Grange-Du Croisy, qui se servent du tandem Mascarille-Jodelet. Et si la préciosité est, à l'origine, une réaction contre la grossièreté de la cour solda-tesque du roi Henri, admirons l'art de nous présenter deux jeunes filles en mal de préciosité se pâmant d'admiration précisément devant deux anciens troupiers dont la vulgarité leur échappe.

Le contraste n'en est que plus évident avec l'accueil que les deux Précieuses ont réservé aux deux représentants de l' « honnêteté ». Contraste encore entre le langage direct de Marotte et celui, si alambiqué, de ses maîtresses. Contraste enfin entre la préciosité des deux filles et le réalisme terre à terre de Gorgibus. Ainsi, peu à peu, la farce atteint aux dimensions de la comédie. Molière, du reste, lui donnera définitivement ce noble titre, car derrière le comique de carnaval, nous voyons apparaître un comique résultant du conflit entre la chimère et le réel. Cathos et Magdelon sont ridicules, car elles vivent, inconscientes, dans un monde déraison-nable, quand elles sont du sang d'un Gorgibus.

Si Jodelet n'est qu'un clown, conscient de jouer une comédie dans la comédie, n'arrive-t-il pas parfois à Mascarille d'en être parfois dupe? Révélatrice, cette scène des porteurs, où, maître d'un instant, oubliant son ancienne condition, il se revanche contre elle pour rabrouer et souffleter ses pareils. Et sous la menace du second porteur, le voici redevenu d'une docilité inattendue. Ecou-tons-le encore interpeller ses valets et se plaindre de leur paresse. Le comique de caractère apparaît dans la farce.

Enfin, toute pièce est faite pour être jouée. Molière nous le rap-pelle dans sa Préface. Quand on sait que les Précieuses connaissent douze variétés de soupirs et que le parler « gras » est de mode, on devine déjà le jeu des jeunes filles. Pour Molière auteur, acteur, metteur en scène, le jeu est essentiel. Et quelles mines, quelle pan-tomime devons-nous imaginer sans cesse, car toute lecture ne peut que rester superficielle!

L'ACTION ET LES PERSONNAGES

Simplicité d'une intrigue tirée de la farce, brièveté d'une pièce en un acte, trois scènes de conversation qui se succèdent, annon-cées chaque fois par Marotte : peut-on vraiment parler d'action dans *les Précieuses ridicules?* — Oui, car une idée très simple lie l'ensemble : deux Précieuses en face du mariage. Et pourtant, quel tourbillon nous emporte dès le lever du rideau! Que de personnages

défilent sous nos yeux avant de laisser la place libre à Gorgibus dans la dernière scène!

Par le jeu savant du metteur en scène, un rythme étourdissant emporte tout. Une comparaison avec le récit de Mlle Desjardins, dont nous avons déjà parlé, montre avec quel soin Molière veille à la structure générale de sa pièce. L'auteur avait commencé par présenter directement la scène où les deux Précieuses accueillent La Grange et Du Croisy. Or, il supprime cette entrevue et la remplace par l'actuelle première scène. Ainsi l'exposition devient plus dramatique et la restriction opérée accentue la rapidité de l'action. Donc, d'abord une exposition rapide et piquant l'intérêt. Puis de courtes scènes entourant trois grandes : dans la première, Cathos et Magdelon exposent leur théorie; la deuxième, orchestrée par Mascarille, nous présente cette théorie en action; la troisième (Cathos et Magdelon, Jodelet et Mascarille) en montre l'aboutissement délirant. Car la fièvre précieuse ne cesse de monter : après l'extase et les transes, voici le bal de la consécration où viennent les voisines. En face de Cathos et Magdelon, leurs deux partenaires jouent une autre comédie dans la vraie pour faire éclater le comique et jaillir la leçon morale. Le désir de jouer jusqu'au bout cette *pièce sanglante* pousse La Grange et Du Croisy à régler minutieusement la progression du dénouement (arrivée des maîtres, des spadassins, coups, déshabillage). A la fin, le retour au réel est d'un impitoyable contraste.

Dans cette bouffonne caricature des *Précieuses ridicules*, les personnages arrivent-ils à donner l'illusion de la vie? Bien sûr, Gorgibus est le père de comédie, Cathos et Magdelon, La Grange et Du Croisy, Mascarille et Jodelet forment des tandems peut-être difficiles à dissocier. Du reste, deux jeunes Précieuses, provinciales de surcroît, ne pouvaient, singeuses et façonnières qu'elles sont, qu'avoir les mêmes réflexes et réflexions, la même conception de l'amour. La servilité du culte de Cathos et de Magdelon (tout est codifié d'avance, et chaque mot est un souvenir impersonnel) les rend semblables et, en conséquence, comiques; mais la similitude ne va pas sans nuances.

Cathos est la cousine et aussi la plus sotte. Elle pose questions sur questions, et, à la découverte de la supercherie, la voilà quasi muette. C'est elle qui fait la plus grosse consommation d'adverbes et de superlatifs précieux. Presque toujours, elle se contente d'approuver sa cousine (*En effet ... Assurément, ma chère*) ou de renchérir suavement sur elle (*C'est le caractère enjoué*, dit Magdelon — *Je vois bien que c'est un Amilcar*, précise la pédante). Ce sont enfin les choses matérielles et visibles qui semblent surtout l'affecter. A elle la tirade sur le costume précieux, l'almanach où sera noté ce jour exceptionnel, à elle de s'occuper des fauteuils et de toucher la glorieuse cicatrice de Jodelet (alors que Magdelon en rougit),

à elle la déclaration déguisée à l'homme d'épée, car, pour un peu, elle aurait de l'amour pour les réalités. Et ce qui l'intéresse encore, c'est de paraître à la comédie où elle « s'écriera » comme il faut. Quant à **Magdelon,** c'est surtout une victime du snobisme et du roman. C'est à elle que reviendront les longs développements (les tirades de Cathos sont plus limitées et moins oratoires) sur l'envie d'être une connaisseuse en tous genres précieux et sur les lois du mariage à la *Clélie.* Emportée qu'elle est par la chimère d'être du beau monde, elle ne cesse de se répéter cette expression. Son esprit romanesque va jusqu'à s'identifier progressivement avec les héroïnes de ses lectures et jusqu'à s'imaginer une naissance plus illustre. A elle certainement l'initiative des pseudonymes plus conformes au beau style. Ne se vante-t-elle pas de tenir la plume? Aussi, vivant totalement dans leurs chimères, les deux Précieuses dédaignent les jeunes gens « honnêtes », ignorent les menaces de Gorgibus, méprisent les liens du sang, accablent leur servante.

La maladie du cœur accompagne celle de l'esprit. Il faudra à Cathos et à Magdelon un autre père et la sottise précieuse en moins pour exprimer, comme Ninon et Ninette[1], les rêves romantiques. Mais leur refus du réel ne va pas sans danger, et ne peut-on pas considérer Mme Bovary[2] comme la réplique tragique de Magdelon?

En face de nos deux Précieuses, un tandem sorti droit de la farce. Le même destin les lie, mais, ici encore, **Jodelet,** pour qui Molière a fait un rôle à sa mesure, est loin de valoir Mascarille. Jodelet n'est qu'un clown, et la progression du comique veut que ce soit lui le second visiteur et non le premier. Toutes les grossières plaisanteries de Jodelet ne sont que d'un ancien troupier. Il est incapable d'user du langage précieux, et son admiration pour son compère est grande. Troupier, **Mascarille** l'est aussi, mais d'une autre envergure. Le clown a la richesse d'un caractère. Il a gardé dans *les Précieuses* la trépidante faconde de *l'Etourdi*[3]. En lui redonnant une nouvelle existence, Molière est sûr que le *fourbum imperator* de la pièce précédente serait le meilleur instrument de La Grange et de Du Croisy pour berner les deux Précieuses *(J'ai un certain valet nommé Mascarille).* Il faut convenir que voilà un valet bien sémillant, qui mène le jeu avec brio. Mais son talent a des limites : l'explication de son impromptu est plus grotesque encore que l'impromptu lui-même. Son répertoire est vite usé, et il est contraint de se répéter (voir le début et la fin de la scène IX). L'arrivée de Marotte annonçant Jodelet le tire d'un silence qui l'aurait condamné. En outre, il est d'une immense vanité. Son manque d'éducation éclate dans la brutalité de son langage, la lourdeur de ses méta-

1. Ninon et Ninette sont les filles très romanesques du duc Laërte dans *A quoi rêvent les jeunes filles,* comédie d'Alfred de Musset (1810-1857); 2. Le roman de Flaubert paraît en 1857; 3. On retrouve encore Mascarille dans le *Dépit amoureux,* donné l'année suivante (1656).

phores, la brusquerie de ses transitions, et tant d'autres détails. A aucun moment le spectateur ne cesse de voir le laquais dans le marquis, même s'il est sensible à sa verve et au côté narquois de sa philosophie (*Ô fortune, quelle est ton inconstance!*), qui semble, comme l'a noté Lanson, annoncer Figaro.

La Grange et **Du Croisy** ne sont que de simples esquisses, mais le premier martèle davantage sa colère, et c'est lui qui organise la vengeance. Ces deux gentilshommes, eux aussi, font preuve de peu de délicatesse. A leur machination, ils n'hésitent pas à ajouter des coups non prévus au programme. Chaque personnage a donc sa part de vulgarité. Quant à la soubrette, sa vivacité ne fait pas oublier sa sottise.

Gorgibus, enfin, premier bourgeois du théâtre de Molière, c'est l' « homme du temps de la ligue », l' « ancien gaulois ». Les mœurs de nos deux Précieuses entretiennent sa colère. La hargne, l'égoïsme, l'esprit terre à terre sont les marques de cet homme qui a peur de servir de fable et de risée à tout le monde. Ce bourgeois qui ne pense qu'à lui n'a qu'une hâte : se débarrasser de sa fille et de sa nièce à n'importe quel prix.

En 1672, Molière créera *les Femmes savantes*. Alors, toutes les esquisses des *Précieuses*, il les reprend en les enrichissant de la complexité de la vie.

PORTÉE DE LA PIÈCE

Si le coup porté par Molière à la préciosité est rude, il n'est pas mortel. En 1663, *la Critique de « l'Ecole des femmes »* nous présente une autre Précieuse, Climène. « Il semble que tout son corps soit démonté et que le mouvement de ses hanches, de ses épaules et de sa tête n'aille que par ressort. » En 1672, le bel esprit se faisant homme de science et les conversations sur la lune succédant aux divertissements littéraires, Molière reprend le combat avec *les Femmes savantes*. La préciosité sous sa première forme n'a pas disparu pour autant. On signale encore, à la fin du siècle, une quinzaine de réimpressions du *Recueil des poésies galantes* de la comtesse de la Suze. La plume de La Bruyère dessine sans pitié les portraits d'Acis et de Cydias. L'affectation dans les manières, le maniérisme de l'expression écrite ou parlée, la complaisance dans la chimère sont de tout temps. Or « ce n'est pas ainsi que parle la nature ». Cette protestation d'Alceste, nous l'entendons déjà sous la bouffonnerie et la caricature des *Précieuses ridicules*.

PRÉFACE

C'est une chose étrange qu'on imprime les gens malgré eux[1]. Je ne vois rien de si injuste, et je pardonnerais toute autre violence plutôt que celle-là.

Ce n'est pas que je veuille ici faire l'auteur modeste et mépriser par honneur[2] ma comédie. J'offenserais mal à propos tout Paris, si je l'accusais d'avoir pu applaudir à une sottise : comme il est le juge absolu de ces sortes d'ouvrages[3], il y aurait de l'impertinence à moi de le démentir; et quand j'aurais eu la plus mauvaise opinion du monde de mes *Précieuses ridicules* avant leur représentation, je dois croire maintenant qu'elles valent quelque chose, puisque tant de gens ensemble en ont dit du bien. Mais comme une grande partie des grâces qu'on y a trouvées dépendent de l'action[4] et du ton de voix, il m'importait qu'on ne les dépouillât pas de ces ornements, et je trouvais que le succès qu'elles avaient eu dans la représentation était assez beau pour en demeurer là. J'avais résolu, dis-je, de ne les faire voir qu'à la chandelle, pour ne point donner lieu à quelqu'un de dire le proverbe[5]; et je ne voulais pas qu'elles sautassent du théâtre de Bourbon dans la galerie du Palais[6]. Cependant je n'ai pu l'éviter, et je suis tombé dans la disgrâce de voir une copie dérobée de ma pièce entre les mains des libraires, accompagnée d'un privilège obtenu par surprise[7]. J'ai eu beau crier : « Ô temps! ô mœurs! », on m'a fait voir une nécessité pour moi d'être imprimé, ou d'avoir un procès; et le dernier mal est encore pire que le premier. Il faut donc se laisser aller à la destinée et consentir à une chose qu'on ne laisserait pas[8] de faire sans moi.

---

1. Voir dans la Notice, page 10, les circonstances de la publication des *Précieuses ridicules*; 2. Par souci de ma réputation; 3. Principe constamment défendu par Molière (voir surtout *la Critique de «l'École des femmes»*); 4. *L'action* : le jeu des acteurs; 5. « Cette femme est belle à la chandelle, mais le jour gâte tout »; 6. La *galerie du Palais*, lieu très fréquenté par les élégants, était garnie de boutiques de toutes sortes, notamment de libraires. (Voir *la Galerie du palais*, comédie de P. Corneille); 7. Allusion à l'affaire Ribou; 8. *Ne pas laisser de* : ne pas manquer de.

Mon Dieu! l'étrange embarras qu'un livre à mettre au jour, et qu'un auteur est neuf[1] la première fois qu'on l'imprime! Encore si l'on m'avait donné du temps, j'aurais pu mieux songer à moi, et j'aurais pris toutes les précautions que messieurs les auteurs, à présent mes confrères, ont coutume de prendre en semblables occasions. Outre quelque grand seigneur que j'aurais été prendre malgré lui pour protecteur de mon ouvrage, et dont j'aurais tenté la libéralité par une épître dédicatoire bien fleurie, j'aurais tâché de faire une belle et docte préface, et je ne manque point de livres qui m'auraient fourni tout ce qu'on peut dire de savant sur la tragédie et la comédie, l'étymologie de toutes deux, leur origine, leur définition et le reste.

J'aurais parlé aussi à mes amis, qui, pour la recommandation de ma pièce, ne m'auraient pas refusé ou des vers français, ou des vers latins. J'en ai même qui m'auraient loué en grec; et l'on n'ignore pas qu'une louange en grec est d'une merveilleuse efficace[2] à la tête d'un livre. Mais on me met au jour sans me donner le loisir de me reconnaître[3]; et je ne puis même obtenir la liberté de dire deux mots pour justifier mes intentions sur le sujet de cette comédie. J'aurais voulu faire voir qu'elle se tient partout dans les bornes de la satire honnête et permise; que les plus excellentes choses sont sujettes à être copiées par de mauvais singes, qui méritent d'être bernés; que ces vicieuses imitations de ce qu'il y a de plus parfait ont été de tout temps la matière de la comédie; et que, par la même raison, les véritables savants et les vrais braves ne se sont point encore avisés de s'offenser du Docteur de la comédie et du Capitan[4]; non plus que les juges, les princes et les rois, de voir Trivelin[5], ou quelque autre sur le théâtre, faire ridiculement le juge, le prince ou le roi : aussi les véritables précieuses auraient tort de se piquer, lorsqu'on joue les ridicules qui les imitent mal. Mais enfin, comme j'ai dit, on ne me laisse pas le temps de respirer, et M. de Luynes[6] veut m'aller relier de ce pas[7] : à la bonne heure puisque Dieu l'a voulu.

---

1. *Neuf* : sans expérience; 2. *Efficace* : efficacité; 3. *Se reconnaître* : reprendre ses sens, penser à ce que l'on doit faire; 4. Personnages traditionnels de la comédie italienne : le docteur est un pédant grotesque, le capitan est bravache et peureux; 5. Trivelin est un personnage assez niais et peu honnête dont l'acteur italien Domenico Locatelli avait créé l'emploi en 1653; 6. L'éditeur de Molière; 7. Il n'y avait que des livres reliés à l'époque.

JODELET

D'après une gravure du XVIIᵉ siècle.

PERSONNAGES

LA GRANGE[1]
DU CROISY[2] } amants rebutés.

GORGIBUS[3]　　bon bourgeois.

MAGDELON[4]　　fille de Gorgibus
CATHOS[5]　　nièce de Gorgibus } Précieuses ridicules.

MAROTTE[6]　　servante des Précieuses ridicules.

ALMANZOR[7]　　laquais des Précieuses ridicules.

Le marquis de
MASCARILLE[8]　　valet de La Grange.

Le vicomte de
JODELET[9]　　valet de Du Croisy.

Deux porteurs de chaises[10] — Voisines — Violons

La scène est à Paris, dans une salle basse de la maison de Gorgibus.
Mise en scène (d'après le Mémoire de Mahelot) : il faut « une chaise
à porteurs, deux fauteuils, deux battes[11] ».

1. La Grange et Du Croisy entrèrent ensemble dans la troupe de Molière en 1659. La Grange avait vingt ans. Il joua les jeunes premiers tout en étant le secrétaire de la troupe. Il est l'auteur du *Registre*. Il mourut en 1692; 2. Du Croisy était un gentilhomme à peine plus âgé que La Grange; 3. Type de farce créé par Molière dans *le Médecin volant* (1659) et *la Jalousie du Barbouillé*. Il reparaîtra dans *Sganarelle* (1660). Rôle sans doute tenu par L'Espy, frère de Jodelet; 4. Prononcez « Madelon ». Diminutif de Madeleine Béjart (1618-1672). C'est également le diminutif de Madeleine de Scudéry; 5. Prononcez « Catau ». Diminutif de Catherine Leclerc, entrée dans la troupe en 1650 et qui épousa l'acteur De Brie en 1651. C'est également le diminutif de Catherine de Rambouillet; 6. Diminutif de Marie Ragueneau, la fille du pâtissier-poète, actrice de la troupe et qui épousa La Grange en 1672; 7. Nom du roman tiré de *Polexandre*, œuvre de Gomberville (1637). Rôle tenu par l'acteur De Brie; 8. Vient de l'italien *mascara*, petit masque. Ce personnage apparaît déjà dans *l'Étourdi* (1655) et *le Dépit amoureux* (1656), rôle tenu par Molière; 9. Bouffon nasillard et à la « perle des enfarinés ». Alors âgé de soixante-dix ans environ, il ne joua chez Molière que ce rôle, avant de mourir l'année suivante; 10. L'un des porteurs était, croit-on, joué par Béjart cadet et l'autre par René Berthelot, mari de la Du Parc, dit « Gros-René »; 11. *Batte* : bâton des personnages de la farce.

LES PRÉCIEUSES RIDICULES

Scène première. — LA GRANGE, DU CROISY.

DU CROISY. — Seigneur La Grange...

LA GRANGE. — Quoi?

DU CROISY. — Regardez-moi un peu sans rire.

LA GRANGE. — Hé bien?

5   DU CROISY. — Que dites-vous de notre visite? En êtes-vous fort satisfait?

LA GRANGE. — A votre avis, avons-nous sujet de l'être tous deux?

DU CROISY. — Pas tout à fait, à dire vrai.

10   LA GRANGE. — Pour moi, je vous avoue que j'en suis tout scandalisé. (1) A-t-on jamais vu, dites-moi, deux pecques[1] provinciales faire plus les renchéries[2] que celles-là, et deux hommes traités avec plus de mépris que nous? A peine ont-elles pu se résoudre à nous faire donner des sièges. Je n'ai jamais
15 vu tant parler à l'oreille qu'elles ont fait[3] entre elles, tant bâiller, tant se frotter les yeux et demander tant de fois : « Quelle heure est-il[4]? » Ont-elles répondu que oui et non à tout ce que nous avons pu leur dire? Et ne m'avouerez-vous pas enfin que, quand nous aurions été les dernières personnes
20 du monde, on ne pouvait nous faire pis qu'elles ont fait? (2)

DU CROISY. — Il me semble que vous prenez la chose fort à cœur.

---

1. *Pecque* : du même sens et de la même famille que « pécore »; 2. *Renchérir* : augmenter son prix. *Faire les renchéries* : faire les difficiles; 3. Le verbe *faire* évite, au XVIIe siècle, la répétition du verbe précédent dont il prend le sens; 4. Mode précieuse de manifester l'ennui.

--------- QUESTIONS ---------

1. Étudiez, dès ce début, la vivacité du dialogue et l'art de piquer l'intérêt.

2. Analysez dans cette tirade le rythme et le vocabulaire de la colère chez un homme du monde.

LA GRANGE. — Sans doute, je l'y prends, et de telle façon que je veux me venger de cette impertinence[1]. Je connais ce
25 qui nous a fait mépriser. L'air précieux n'a pas seulement infecté Paris, il s'est aussi répandu dans les provinces et nos donzelles ridicules en ont humé leur bonne part. En un mot, c'est un ambigu[2] de précieuse et de coquette que leur personne. (3)
Je vois ce qu'il faut être pour en[3] être bien reçu; et, si vous
30 m'en croyez, nous leur jouerons tous deux une pièce[4] qui leur fera voir leur sottise et pourra leur apprendre à connaître un peu mieux leur monde. (4)

DU CROISY. — Et comment encore?

LA GRANGE. — J'ai un certain valet, nommé Mascarille,
35 qui passe, au sentiment de beaucoup de gens, pour une manière de bel esprit[5]; car il n'y a rien à meilleur marché que le bel esprit maintenant. C'est un extravagant, qui s'est mis dans la tête de vouloir faire l'homme de condition. Il se pique ordi-nairement de galanterie[6] et de vers, et dédaigne les autres
40 valets, jusqu'à les appeler brutaux[7]. (5)

DU CROISY. — Hé bien! qu'en prétendez-vous faire?

LA GRANGE. — Ce que j'en prétends faire? Il faut... Mais sortons d'ici auparavant. (6)

1. *Impertinence* : action inconvenante, sottise; 2. *Ambigu* : mélange. Au sens propre, repas où l'on sert à la fois la viande et le dessert; 3. *En* : pronom, renvoie dans la langue classique à des noms de personne; 4. *Pièce* : bon tour; 5. *Bel esprit* : celui qui se distingue des autres par la politesse de ses discours et de ses ouvrages; 6. *Galan-terie* : courtoisie surtout avec les dames; intrigue amoureuse; 7. *Brutaux* : bêtes comme des animaux.

QUESTIONS

3. Importance de ces dernières phrases pour la présentation des per-sonnages et l'exposition du sujet.

4. Comment se complète d'une tirade à l'autre la présentation de nos deux Précieuses?

5. Comment Mascarille se voit-il? Qu'est-ce qu'un « homme de condi-tion »? Comment apparaît-il aux yeux des Précieux? Quel est-il en réalité?

6. SUR L'ENSEMBLE DE LA SCÈNE PREMIÈRE. — Analysez le caractère naturel et dramatique de cette scène d'exposition : rythme des interro-gations et des deux tirades, présentation directe et indirecte des per-sonnages, différences entre les caractères des deux jeunes gens.
— L'intérêt de la pièce aurait-il été accru ou diminué si le spectateur n'avait été partiellement mis dans la confidence du tour que les deux gentilshommes vont jouer aux Précieuses?
— Pourquoi Molière ne nous présente-t-il pas directement la réception des deux Précieuses?

SCÈNE II. — GORGIBUS, DU CROISY, LA GRANGE.

GORGIBUS. — Hé bien! vous avez vu ma nièce et ma fille : les affaires iront-elles bien? Quel est le résultat de cette visite?

LA GRANGE. — C'est une chose que vous pourrez mieux apprendre d'elles que de nous. Tout ce que nous pouvons 5 vous dire, c'est que nous vous rendons grâce de la faveur que vous nous avez faite, et demeurons vos très humbles serviteurs.

GORGIBUS, *seul*. — Ouais, il semble qu'ils sortent mal satis-faits d'ici. D'où pourrait venir leur mécontentement? Il faut 10 savoir un peu ce que c'est. Holà! (7)

SCÈNE III. — MAROTTE, GORGIBUS.

MAROTTE. — Que désirez-vous, monsieur?

GORGIBUS. — Où sont vos maîtresses?

MAROTTE. — Dans leur cabinet[1].

GORGIBUS. — Que font-elles?

5 MAROTTE. — De la pommade pour les lèvres.

GORGIBUS. — C'est trop pommadé[2]. Dites-leur qu'elles descendent. *(Seul.)* Ces pendardes-là, avec leur pommade, ont, je pense, envie de me ruiner. Je ne vois partout que blancs d'œufs, lait virginal[3], et mille autres brimborions[4] que je ne 10 connais point. Elles ont usé, depuis que nous sommes ici, le lard d'une douzaine de cochons, pour le moins, et quatre

---

1. *Cabinet :* lieu le plus retiré de la maison; 2. *Pommadé :* néologisme créé justement par les Précieux; 3. *Lait virginal :* cosmétique pour garder un teint de jeune fille; 4. *Brimborion* (vient, dit-on, du lat. *breviarium*, bréviaire) : prières bredouillées, puis, par extension de sens, objets sans valeur.

--------- QUESTIONS ---------

7. Opposez l'homme du monde au bourgeois : langage, attitude.

valets vivraient tous les jours des pieds de mouton[1] qu'elles emploient. **(8)**

Scène IV. — MAGDELON, CATHOS, GORGIBUS.

GORGIBUS. — Il est bien nécessaire, vraiment, de faire tant de dépense pour vous graisser le museau! Dites-moi un peu ce que vous avez fait à ces messieurs, que[2] je les vois sortir avec tant de froideur? Vous avais-je pas[3] commandé de les
5 recevoir comme des personnes que je voulais vous donner pour maris?

MAGDELON. — Et quelle estime, mon père, voulez-vous que nous fassions[4] du procédé irrégulier de ces gens-là?

CATHOS. — Le moyen, mon oncle, qu'une fille un peu rai-
10 sonnable se pût[5] accommoder de leur personne?

GORGIBUS. — Et qu'y trouvez-vous à redire?

MAGDELON. — La belle galanterie que la leur! Quoi! débuter d'abord par le mariage!

GORGIBUS. — Et par où veux-tu donc qu'ils débutent?
15 N'est-ce pas un procédé dont vous avez sujet de vous louer toutes deux aussi bien que moi? Est-il rien de plus obligeant que cela? Et ce lien sacré où ils aspirent n'est-il pas un témoignage de l'honnêteté de leurs intentions?

MAGDELON. — Ah! mon père, ce que vous dites là est du
20 dernier bourgeois[6]! Cela me fait honte de vous ouïr parler

---

1. Le lard de cochon et les pieds de mouton étaient utilisés dans les produits de beauté; 2. Si bien que. La conjonction *que* a une grande extension jusqu'au XVIIᵉ siècle; 3. *Pas* est employé seul dans l'interrogation au XVIIᵉ siècle; 4. *Faire estime* : accorder un certain prix. Emploi fréquent du verbe *faire* dans ce genre de locutions ; 5. Imparfait du subjonctif permettant d'exprimer fortement le doute. Inutile aujourd'hui; 6. Expression précieuse à valeur superlative (ex. *du dernier beau*, page 45, ligne 117). L'expression est ici péjorative, puisque l'esprit *bourgeois* est opposé au raffinement du langage et des manières.

——— **QUESTIONS** ———

8. SUR LA SCÈNE III. — Analysez le comique de Gorgibus : jeu de mots, allitérations, exagération réaliste.
— Quelle manière de vivre, quelles vertus traditionnelles de la bourgeoisie transparaissent à travers les propos de Gorgibus? Sa diatribe n'est-elle pas toujours d'actualité?

SUR L'ENSEMBLE DES TROIS PREMIÈRES SCÈNES. — Étudiez l'expression de la colère dans les trois premières scènes. Quelles réactions les deux Précieuses provoquent-elles dans leur entourage?

48 DICTIONNAIRE

M

Meilleure odeur.

le n'ay iamais respiré d'odeur mieux conditionnée.

Des Mouches.
Des tasches aduantageuses

Vn Medecin.
Vn Bastard d'Hypocrate.

Vne Maison.
Vne garde necessaire.

Se Marier.
Donner dans l'amour permis.

Vne belle Main.
Vne belle mouuante.

DES PRETIEVSES. 49

M

Sans Mentir, vous m'estimez trop.

Sans mentir, ie suis trop auant dans le rang fauory de vostre pensée.

Vous estes vne grande menteuze.

Vous estes vne grande dizeuse de pas vray.

Vn Masque.
Le Rempart du beau teint, ou l'instrument de la curiosité.

La Mort.
La toute puissante.

Estre Melancolique & chagrin.

E

Phot. Larousse.

LE « GRAND DICTIONNAIRE DES PRÉCIEUSES », PAR SOMAIZE

On a vu dans la Notice, page 10, le rôle qu'a joué un certain Somaize dans la cabale montée contre Molière à propos des *Précieuses ridicules*. Dans les années suivantes, Somaize exploita la mode de la préciosité et publia un *Grand Dictionnaire des Précieuses, ou la Clef de la langue des ruelles* (1660), répertoire des mots mis à la mode par la préciosité. Voici la transcription de deux pages, qui reproduisent un passage de la lettre M.

Meilleure odeur : *Je n'ai jamais respiré d'odeur mieux conditionnée.*

Des mouches : *Des taches avantageuses.*

Un médecin : *Un bâtard d'Hippocrate.*

Une maison : *Une garde nécessaire.*

Se marier : *Donner dans l'amour permis.*

Une belle main : *Une belle mouvante.*

Sans mentir, vous m'estimez trop : *Sans mentir, je suis trop avant dans le rang favori de votre pensée.*

Vous êtes une grande menteuse : *Vous êtes une grande diseuse de pas vrai.*

Un masque : *Le rempart du beau teint ou l'instrument de la curiosité.*

La mort : *La toute-puissante.*

On trouvera dans la Documentation thématique, en fin de volume, d'autres exemples tirés du même ouvrage.

de la sorte, et vous devriez un peu vous faire apprendre le bel air[1] des choses.

GORGIBUS. — Je n'ai que faire ni d'air ni de chanson. Je te dis que le mariage est une chose sainte et sacrée, et que
25 c'est faire en honnêtes gens que de débuter par là.

MAGDELON. — Mon Dieu! que, si tout le monde vous ressemblait, un roman serait bientôt fini! La belle chose que ce serait si d'abord Cyrus épousait Mandane, et qu'Aronce de plain-pied fût marié à Clélie[2].

30 GORGIBUS. — Que me vient conter celle-ci? (9)

MAGDELON. — Mon père, voilà ma cousine qui vous dira, aussi bien que moi, que le mariage ne doit jamais arriver qu'après les autres aventures. Il faut qu'un amant, pour être agréable, sache débiter les beaux sentiments, pousser[3] le doux,
35 le tendre et le passionné[4], et que sa recherche[5] soit dans les formes. Premièrement, il doit voir au temple[6], ou à la promenade, ou dans quelque cérémonie publique, la personne dont il devient amoureux : ou bien être conduit fatalement chez elle par un parent ou un ami, et sortir de là tout rêveur et
40 mélancolique. Il cache un temps sa passion à l'objet aimé, et cependant lui rend plusieurs visites, où l'on ne manque jamais de mettre sur le tapis une question galante qui exerce les esprits de l'assemblée[7]. Le jour de la déclaration arrive, qui se doit

1. Les belles manières. L'imprécision du langage est aussi une mode précieuse; 2. Chacun de ces couples célèbres des romans de Mlle de Scudéry attend le mariage pendant dix volumes. En outre, Julie d'Angennes laissa le duc de Montausier soupirer treize ans pour elle; 3. On appelait les Précieuses des « pousseuses de beaux sentiments »; 4. Les adjectifs substantivés étaient de mode; notez la progression des termes; 5. *Recherche* en mariage; 6. Le *temple*, mot noble pour l' « église », qui est un lieu de rencontre pour les mondains. C'est un prêtre, le père Bouhours, qui reproche à Mme de La Fayette d'avoir organisé la rencontre de la princesse de Clèves et du duc de Nemours dans une joaillerie et non dans l'église traditionnelle; 7. Tous les salons du XVIIe siècle raffolaient de ces petits problèmes de casuistique amoureuse dont il nous reste de nombreux exemples comme ceux-ci : « Quel est l'effet des larmes en amour? », « L'amitié est-elle capable de tendresse aussi bien que l'amour? », etc.

──────── QUESTIONS ────────

9. Le malentendu entre Gorgibus et les deux jeunes filles : quelle idée à la fois morale et pratique Gorgibus se fait-il du mariage? Qu'est-ce qui lui paraît suspect dans les prétentions de Cathos et de Magdelon?
— Relevez, dans le vocabulaire et les expressions, tout ce qui crée le contraste entre le langage de Gorgibus et celui des Précieuses. A quel moment voit-on que les mots n'ont pas le même sens pour lui et pour elles?

faire ordinairement dans une allée de quelque jardin, tandis
45 que la compagnie s'est un peu éloignée; et cette déclaration est
suivie d'un prompt courroux, qui paraît à notre rougeur, et
qui, pour un temps, bannit l'amant de notre présence. Ensuite
il trouve moyen de nous apaiser, de nous accoutumer insensiblement au discours[1] de sa passion et de tirer de nous cet
50 aveu qui fait tant de peine. Après cela viennent les aventures :
les rivaux[2] qui se jettent à la traverse d'une inclination établie,
les persécutions des pères, les jalousies conçues sur de fausses
apparences, les plaintes, les désespoirs[3], les enlèvements[4] et
ce qui s'ensuit[5]. Voilà comme les choses se traitent dans les
55 belles manières, et ce sont des règles dont, en bonne galanterie,
on ne saurait se dispenser. Mais en venir de but en blanc[6]
à l'union conjugale, ne faire l'amour qu'en faisant le contrat
du mariage, et prendre justement le roman par la queue;
encore un coup, mon père, il ne se peut rien de plus marchand[7]
60 que ce procédé; et j'ai mal au cœur de la seule vision que
cela me fait. **(10)**

GORGIBUS. — Quel diable de jargon entends-je ici? Voici
bien du haut style.

CATHOS. — En effet, mon oncle, ma cousine donne dans le

---

1. *Discours :* exposé; 2. Comme dans la *Clélie*, où Coclès est le rival d'Aronce;
3. Allusion à la célèbre scène où Céladon, parfait amant d'Astrée, se jette dans le
Lignon; 4. Dans *le Grand Cyrus*, Mandane est enlevée huit fois. « Voilà, dit Boileau, une beauté qui a passé par bien des mains »; 5. Périphrase dédaigneuse désignant le mariage; 6. Du *but* (ou *butte*), place du tireur, en plein dans le *blanc* de
la cible; 7. Rien de plus vulgaire. Comparatif substantivé à la mode indiquant le
dédain. (Voir l'expression *du dernier bourgeois*, page 30, ligne 20.)

――――――― QUESTIONS ―――――――

10. Étudiez la tirade de Magdelon en analysant : 1° la part de l'imagination romanesque : comment s'accumulent, pour former une unique
aventure, les épisodes tirés des romans sentimentaux lus par Magdelon?
Son identification progressive avec les héros de ces romans; 2° Le pédan-
tisme du romanesque : relevez tous les termes qui montrent que le code
de l'amour est réglé d'avance pour elle et pour les autres; énumérez
tous les termes qui sont liés à une idée d'obligation. — Ne voit-on pas
percer, dans la tirade de Magdelon, des aspirations parfaitement légitimes chez une jeune fille? Relevez en particulier tous les termes qui
révèlent la tentation de prolonger aussi longtemps que possible l'aventure sentimentale avant le mariage; comment un tel désir peut-il se justifier quand on connaît les idées de Gorgibus sur le mariage? Montrez
que Magdelon est cependant ridicule parce que ses sentiments reflètent
des souvenirs livresques plutôt que la sincérité de son cœur. — Comparez à cette tirade l'attitude d'Armande dans *les Femmes savantes* (acte
premier, scène première).

65 vrai de la chose[1]. Le moyen de bien recevoir des gens qui sont
tout à fait incongrus[2] en galanterie! Je m'en vais gager qu'ils
n'ont jamais vu la carte de Tendre[3], et que Billets-doux, Petits-
soins, Billets-galants et Jolis-vers sont des terres inconnues[4]
pour eux. Ne voyez-vous pas que toute leur personne marque
70 cela, et qu'ils n'ont point cet air qui donne d'abord[5] une bonne
opinion des gens? Venir en visite amoureuse avec une jambe
tout unie[6], un chapeau désarmé de plumes, une tête irrégu-
lière[7] en cheveux, et un habit qui souffre une indigence de
rubans...! mon Dieu! quels amants sont-ce là! Quelle frugalité
75 d'ajustement et quelle sécheresse de conversation! On n'y
dure point, on n'y tient pas. J'ai remarqué encore que leurs
rabats[8] ne sont pas de la bonne faiseuse, et qu'il s'en faut
plus d'un grand demi-pied que leurs hauts-de-chausses[9] ne
soient assez larges. (11)

80 GORGIBUS. — Je pense qu'elles sont folles toutes deux, et
je ne puis rien comprendre à ce baragouin, Cathos, et vous,
Magdelon...

MAGDELON. — Eh! de grâce, mon père, défaites-vous de
ces noms étranges! et nous[10] appelez autrement.

85 GORGIBUS. — Comment, ces noms étranges? Ne sont-ce
pas vos noms de baptême?

MAGDELON. — Mon Dieu! que vous êtes vulgaire! Pour

---

1. Expression précieuse consistant à employer un complément abstrait après un
adjectif substantivé (voir plus loin : *le doux de votre flatterie*); 2. *Incongru* : non
congru, c'est-à-dire non convenable. Mot emprunté par les Précieux à la grammaire;
3. Carte de géographie allégorique dressée dans le salon de Mlle de Scudéry et publiée
dans la *Clélie*, à l'imitation du *Roman de la rose* (XIIIe siècle). Voir illustration, page 71;
4. Au nord de la *Carte du Tendre* s'étendent les *Terres inconnues*; 5. *D'abord* : dès
l'abord; 6. Sans canons, dentelles serrées au genou, qui enveloppaient la jambe;
7. Sans perruque bien frisée. Il était de bon ton de consulter souvent son miroir,
même dans un salon. Mot également emprunté à la grammaire; 8. *Rabat* : collet
en toile qu'on « rabat » à plat; 9. *Hauts-de-chausses* : culottes. La mode les veut
si larges que Molière, dans *l'École des maris* (acte premier, scène première), les traite
de « cottillons »; 10. Place normale, au XVIIe siècle, du pronom personnel complément
d'objet d'un second verbe à l'impératif coordonné au premier.

━━━━━━ QUESTIONS ━━━━━━━━━━━━━━━━━━━━━━━━━━━━━━

11. Relevez tout ce qui manque à La Grange ou à Du Croisy pour en
affubler le précieux idéal. — Cathos a-t-elle raison de juger son prétendant sur ses habits? Quelle différence de caractère avec Magdelon son
attitude révèle-t-elle? — Montrez que, par la plus grande affectation de
son langage et de ses soupirs, Cathos est encore plus façonnière que sa
cousine.

moi, un de mes étonnements, c'est que vous ayez pu faire une fille si spirituelle que moi. A-t-on jamais parlé dans le beau style de Cathos ni[1] de Magdelon? et ne m'avouerez-vous pas que ce serait assez d'un de ces noms pour décrier le plus beau roman du monde?

CATHOS. — Il est vrai, mon oncle, qu'une oreille un peu délicate pâtit furieusement[2] à entendre prononcer ces mots-là; et le nom de Polixène, que ma cousine a choisi, et celui d'Aminte[3], que je me suis donné, ont une grâce dont il faut que vous demeuriez d'accord.

GORGIBUS. — Écoutez : il n'y a qu'un mot qui serve. Je n'entends point que vous ayez d'autres noms que ceux qui vous ont été donnés par vos parrains et marraines; et pour ces messieurs dont il est question, je connais leurs familles et leurs biens, et je veux résolument que vous vous disposiez à les recevoir pour maris. Je me lasse de vous avoir sur les bras, et la garde de deux filles est une charge un peu trop pesante pour un homme de mon âge.

CATHOS. — Pour moi, mon oncle, tout ce que je puis vous dire c'est que je trouve le mariage une chose tout à fait choquante.

MAGDELON. — Souffrez que nous prenions un peu haleine parmi le beau monde de Paris, où nous ne faisons que d'arriver. Laissez-nous faire à loisir le tissu de notre roman, et n'en pressez point tant la conclusion. (12)

GORGIBUS, à part. — Il n'en faut point douter, elles sont achevées[4]. (Haut.) Encore un coup, je n'entends rien à toutes ces balivernes; je veux être maître absolu; et, pour trancher toutes sortes de discours, ou vous serez mariées toutes deux

---

1. *Ni* (au lieu de *et* en français moderne) se justifie par l'idée négative contenue dans la phrase; 2. Les Précieuses abusent des adverbes superlatifs comme *furieusement, effroyablement, terriblement*. Encore une façon de se distinguer; 3. Suivant la mode, toutes les Précieuses portent des noms d'emprunt. Mme de Rambouillet est *Arthénice*, Mlle de Scudéry, *Sapho*. *Aminte* est le titre d'une pastorale, *Polyxène* est un nom troyen; remarquons que Cathos et Magdelon appellent également leur valet *Almanzor*; 4. *Achevées* : complètement folles.

──────── **QUESTIONS** ────────

12. Importance de cette dernière réplique pour préciser la situation et la psychologie des personnages : l'inexpérience de Cathos et de Magdelon ne donne-t-elle pas plus de vraisemblance à la suite de la pièce?

avant qu'il soit peu, ou, ma foi! vous serez religieuses, j'en fais un bon serment. **(13) (14)**

Scène V. — CATHOS, MAGDELON.

CATHOS. — Mon Dieu! ma chère, que ton père a la forme enfoncée dans la matière[1]! que son intelligence est épaisse, et qu'il fait sombre dans son âme!

MAGDELON. — Que veux-tu, ma chère[2]? j'en suis en confu-
5 sion pour lui. J'ai peine à me persuader que je puisse être véritablement sa fille, et je crois que quelque aventure, un jour, me viendra développer[3] une naissance plus illustre.

CATHOS. — Je le crois bien; oui, il y a toutes les apparences du monde; et, pour moi, quand je me regarde aussi... **(15)**

Scène VI. — MAROTTE, CATHOS, MAGDELON.

MAROTTE. — Voilà un laquais qui demande si vous êtes au logis, et dit que son maître vous veut venir voir.

MAGDELON. — Apprenez, sotte, à vous énoncer moins vul-
gairement. Dites : « Voilà un nécessaire[4] qui demande si vous
5 êtes en commodité d'être visibles. »

---

1. *Forme, matière* : termes scolastiques et pédants ici. Le premier désigne l'âme et le second le corps; 2. Les deux cousines se renvoient sans cesse en écho cette appellation à la mode; 3. *Développer* : ôter l'enveloppe, dévoiler; 4. Quelqu'un dont on a toujours besoin, c'est-à-dire un laquais.

=== QUESTIONS ===

13. Comment évolue le ton de la querelle en cette fin de scène? Quels traits de caractère se révèlent ou s'accentuent chez chacun d'eux à mesure que le conflit s'aggrave?

14. SUR L'ENSEMBLE DE LA SCÈNE IV. — Montrez l'enchaînement naturel des différents éléments de cette scène en fonction de la colère croissante de Gorgibus.
— Comment cette opposition entre deux thèses en présence met-elle en valeur les caractères?
— Analysez la part de satire et de parodie.

15. SUR LA SCÈNE V. — En quoi cette courte scène montre-t-elle vrai-ment que la préciosité est, comme on l'a dit, « une maladie dangereuse de l'esprit et du cœur »?
— Est-ce seulement l'imagination et le bon sens qui sont faussés chez Cathos et Magdelon?

Marotte.
— Voilà
un laquais
qui demande
si vous êtes
au logis...

(Scène VI.)
Comédie-
Française
(1964).

Phot. Bernand.

JEAN
PARÉDÈS
DANS
LE RÔLE
DE
MASCARILLE

Théâtre
de France (1961).

Phot. Bernand.

MAROTTE. — Dame! je n'entends point le latin, je ne l'ai pas appris, comme vous, la filofie dans le grand Cyre[1].

MAGDELON. — L'impertinente! Le moyen de souffrir cela! Et qui est-il, le maître de ce laquais?

10 MAROTTE. — Il me l'a nommé le marquis de Mascarille.

MAGDELON. — Ah! ma chère! un marquis! Oui, allez dire qu'on nous peut voir. C'est sans doute[2] un bel esprit qui aura ouï parler de nous.

CATHOS. — Assurément, ma chère.

15 MAGDELON. — Il faut le recevoir dans cette salle basse[3] plutôt qu'en notre chambre. Ajustons un peu nos cheveux au moins, et soutenons notre réputation. Vite, venez nous tendre ici dedans le conseiller des grâces[4].

MAROTTE. — Par ma foi! je ne sais point quelle bête c'est là; 20 il faut parler chrétien[5], si vous voulez que je vous entende. (16)

CATHOS. — Apportez-nous le miroir, ignorante que vous êtes, et gardez-vous bien d'en salir la glace par la communication de votre image. *(Elles sortent.)* (17)

SCÈNE VII. — MASCARILLE, DEUX PORTEURS[6].

MASCARILLE. — Holà! porteurs, holà! Là, là, là, là, là, là. Je pense que ces marauds-là ont dessein de me briser à force de heurter contre les murailles et les pavés.

---

1. Marotte écorche « philosophie » en *filofie* et francise « Cyrus » en *Cyre*. (Voir Martine dans *les Femmes savantes*, vers 473-503); 2. *Sans doute :* sans aucun doute, certainement; 3. Molière évite le changement de lieu. Mais Cathos et Magdelon ne possèdent pas de chambre d'apparat comme Mme de Rambouillet ou Mlle de Scudéry. La *salle basse* est au rez-de-chaussée; on y prenait les repas; 4. *Conseiller des grâces :* métaphore précieuse désignant le miroir. On l'appelait encore le « peintre de la dernière fidélité » ou le « singe de la nature »; 5. *Parler chrétien :* parler intelligiblement (et non pas une langue étrangère qui n'est pas faite pour des chrétiens); 6. Mascarille entre sur scène dans sa chaise. La chaise, importée d'Angleterre en 1619 par Buckingham, venait d'être mise à la mode. La saleté des rues de Paris (voir Boileau, *Satire VI*) avait favorisé le louage des voitures couvertes. En somme, c'était le « taxi » de l'époque.

─────── **QUESTIONS** ───────

16. Le personnage de Marotte : quels effets comiques Molière en tire-t-il? Cherchez, dans *les Femmes savantes* ou dans *la Comtesse d'Escarbagnas*, des personnages et des effets semblables.

17. SUR L'ENSEMBLE DE LA SCÈNE VI. — Comment cette courte scène permet-elle de mettre en évidence la sottise et la sécheresse de cœur des deux Précieuses? Pourquoi n'éprouvent-elles aucune surprise à entendre annoncer la visite d'un marquis?

PREMIER PORTEUR. — Dame! c'est que la porte est étroite!
5 vous avez voulu aussi que nous soyons entrés¹ jusqu'ici.

MASCARILLE. — Je le crois bien. Voudriez-vous, faquins²,
que j'exposasse³ l'embonpoint⁴ de mes plumes aux inclémences
de la saison pluvieuse, et que j'allasse imprimer mes souliers
en boue? Allez, ôtez votre chaise d'ici. **(18)**

10 DEUXIÈME PORTEUR. — Payez-nous donc, s'il vous plaît,
monsieur.

MASCARILLE. — Hem?

DEUXIÈME PORTEUR. — Je dis, monsieur, que vous nous
donniez de l'argent, s'il vous plaît.

15 MASCARILLE, *lui donnant un soufflet.* — Comment, coquin!
demander de l'argent à une personne de ma qualité⁵!

DEUXIÈME PORTEUR. — Est-ce ainsi qu'on paye les pauvres
gens? Et votre qualité nous donne-t-elle à dîner?

MASCARILLE. — Ah! ah! je vous apprendrai à vous connaître!
20 Ces canailles-là s'osent jouer à⁶ moi!

PREMIER PORTEUR, *prenant un des bâtons de sa chaise.* —
Çà, payez-nous vitement.

MASCARILLE. — Quoi?

PREMIER PORTEUR. — Je dis que je veux avoir de l'argent
25 tout à l'heure⁷.

MASCARILLE. — Il⁸ est raisonnable.

PREMIER PORTEUR. — Vite donc.

MASCARILLE. — Oui-da! tu parles comme il faut, toi; mais
l'autre est un coquin qui ne sait ce qu'il dit. Tiens, es-tu content?

---

1. Le porteur ne risque pas l'imparfait du subjonctif qu'il faudrait; 2. *Faquin :*
misérable, propre à rien (de l'italien *facchino*, portefaix); 3. Mascarille n'a pas
peur de ces imparfaits du subjonctif, corrects, certes, mais nullement obligatoires;
4. *L'embonpoint :* le bon état (le fait d'être *en bon point*); 5. *Un homme, une personne
de qualité :* une personne de noble condition; 6. *Se jouer à :* s'en prendre à, s'attaquer à;
7. *Tout à l'heure :* tout de suite; 8. *Il* peut avoir une valeur impersonnelle et signifier
« cela », mais, plus vraisemblablement, c'est un masculin qui désigne le premier
porteur.

——— QUESTIONS ———

18. L'entrée de Mascarille : analysez tous les effets comiques qui
s'additionnent ici pour faire rire le spectateur. A quoi reconnaît-
on sans erreur possible le personnage décrit par La Grange à la scène
première?

80 PREMIER PORTEUR. — Non, je ne suis pas content; vous avez donné un soufflet à mon camarade, et... **(19)** *(Levant son bâton.)*

MASCARILLE. — Doucement; tiens, voilà pour le soufflet. On obtient tout de moi quand on s'y prend de la bonne façon. 85 Allez, venez me reprendre tantôt pour aller au Louvre, au petit coucher[1]. **(20)**

SCÈNE VIII. — MAROTTE, MASCARILLE.

MAROTTE. — Monsieur, voilà mes maîtresses qui vont venir tout à l'heure.

MASCARILLE. — Qu'elles ne se pressent point; je suis ici posté[2] commodément pour attendre.

5 MAROTTE. — Les voici.

SCÈNE IX. — MAGDELON, CATHOS, MASCARILLE, ALMANZOR.

MASCARILLE, *après avoir salué.* — Mesdames[3], vous serez surprises, sans doute, de l'audace de ma visite; mais votre réputation vous attire cette méchante affaire, et le mérite a pour moi des charmes[4] si puissants que je cours partout après 5 lui.

MADGELON. — Si vous poursuivez le mérite, ce n'est pas sur nos terres que vous devez chasser.

---

1. *Petit coucher* : dernière partie de la cérémonie qui précède le coucher du roi et à laquelle seuls quelques privilégiés étaient admis; 2. Ce mot militaire campe bien Mascarille, qui va parler de ses campagnes; 3. On disait *Madame* à une jeune fille haut titrée. On emploie ce vocable couramment dans les romans et dans les tragédies. Bientôt il arrive à désigner même les femmes et filles de bourgeois; 4. *Charmes* : attrait magique.

───── **QUESTIONS** ─────

19. Y a-t-il seulement un épisode de farce dans cette querelle de Mascarille et des porteurs? Montrez, en comparant les deux porteurs, que Molière sait différencier même les personnages épisodiques.

20. SUR L'ENSEMBLE DE LA SCÈNE VII. — Dégagez le comique de cette scène : comique de farce, de situation et même de caractère. Pourquoi Molière a-t-il éloigné les deux Précieuses pendant cette arrivée de Mascarille?

CATHOS. — Pour voir chez nous le mérite, il a fallu que vous l'y ayez amené. **(21)**

10 MASCARILLE. — Ah! je m'inscris en faux[1] contre vos paroles. La renommée accuse juste en contant ce que vous valez; et vous allez faire pic, repic et capot[2] tout ce qu'il y a de galant dans Paris.

MAGDELON. — Votre complaisance pousse un peu trop avant 15 la libéralité de ses louanges; et nous n'avons garde, ma cousine et moi, de donner de notre sérieux dans le doux de votre flatterie. **(22)**

CATHOS. — Ma chère, il faudrait faire donner des sièges.

MAGDELON. — Holà! Almanzor[3].

20 ALMANZOR. — Madame.

MAGDELON. — Vite, voiturez-nous ici les commodités de la conversation[4].

MASCARILLE. — Mais, au moins, y a-t-il sûreté ici pour moi? **(23)** *(Almanzor sort.)*

25 CATHOS. — Que craignez-vous?

MASCARILLE. — Quelque vol de mon cœur, quelque assassinat de ma franchise[5]. Je vois ici des yeux qui ont la mine d'être de fort mauvais garçons, de faire insulte aux libertés et de traiter une âme de Turc à More[6]. Comment, diable! 30 d'abord qu'on les approche[7], ils se mettent sur leur garde meurtrière[8]? Ah! par ma foi, je m'en défie! et je m'en vais

---

1. *S'inscrire en faux* : protester (expression juridique : attaquer un document comme faux); 2. « *Pic* se dit au jeu de piquet quand le premier joueur peut compter trente points sans que son adversaire en compte aucun. Le *repic*, c'est quand on compte trente sur table sans jouer. *Capot* se dit quand l'un des joueurs lève toutes les cartes .» (*Dict. de Furetière*, 1690); 3. *Almanzor* : nom de roman donné par les Précieuses à leur laquais; 4. On disait déjà, pour désigner les fauteuils, des « chaises de commodité » (Voir Notice, page 18.); 5. *Franchise* : liberté; 6. Impitoyablement, comme les Turcs traitaient les Mores vaincus; 7. *D'abord que* : dès le moment où; 8. Terme d'escrime enjolivé par le surcroît de l'adjectif *meurtrier*.

QUESTIONS

21. Étudiez, dans ce début, l'art de filer jusqu'à l'absurde la métaphore.

22. Analysez le langage abstrait de cette phrase; quelle idée très banale est traduite par cette formule si compliquée?

23. Que trahit la brusquerie de cette intervention?

gagner au pied[1], ou je veux caution bourgeoise[2] qu'ils ne me feront point de mal.

MAGDELON. — Ma chère, c'est le caractère enjoué. **(24)**

35 CATHOS. — Je vois bien que c'est un Amilcar[3].

MAGDELON. — Ne craignez rien : nos yeux n'ont point de mauvais desseins, et votre cœur peut dormir en assurance sur leur prud'homie[4].

40 CATHOS. — Mais de grâce, monsieur, ne soyez pas inexorable à ce fauteuil qui vous tend les bras il y a un quart d'heure ; contentez un peu l'envie qu'il a de vous embrasser.

MASCARILLE, *après s'être peigné[5] et avoir ajusté ses canons.* — Hé bien! mesdames, que dites-vous de Paris?

45 MAGDELON. — Hélas! qu'en pourrions-nous dire? Il faudrait être l'antipode de la raison pour ne pas confesser que Paris est le grand bureau[6] des merveilles, le centre du bon goût, du bel esprit et de la galanterie.

MASCARILLE. — Pour moi, je tiens que hors de Paris il n'y a point de salut pour les honnêtes gens. **(25)**

50 CATHOS. — C'est une vérité incontestable.

MASCARILLE. — Il y fait un peu crotté; mais nous avons la chaise[7]. **(26)**

MAGDELON. — Il est vrai que la chaise est un retranchement merveilleux contre les insultes de la boue et du mauvais temps.

---

1. *Gagner au pied :* s'enfuir (expression vieillie et devenue triviale au XVIIe siècle); 2. Garantie fournie par un bourgeois, donc sérieuse; 3. *Amilcar :* personnage de la *Clélie* désignant le gai poète Sarrasin. *Être un Amilcar* voulait dire « être enjoué ». 4. *Prudhomie :* honnêteté; 5. Mascarille suit l'étiquette, conformément aux lois de la galanterie; 6. *Bureau :* ici, magasin où l'on trouve ce dont a besoin; un salon littéraire s'appelait un « bureau d'esprit »; 7. Voir page 37, note 6.

--------- QUESTIONS ---------

24. Le style de Mascarille : quel genre de métaphores préfère-t-il? Comment sa vulgarité transparaît-elle à travers les jeux d'esprit auxquels il se livre? — L'enjouement caractérise-t-il vraiment ses propos? Que peut-on dire de la finesse psychologique de Magdelon?

25. Le nouveau sujet de conversation : pourquoi vient-il tout naturellement prendre place ici? L'éloge de Paris, centre intellectuel et artistique de la France, doit-il être considéré comme une réplique comique? Quel sentiment du spectateur Molière veut-il susciter ici?

26. Quel autre thème traditionnel, relatif à la vie à Paris, est ici ébauché?

55 MASCARILLE. — Vous recevez beaucoup de visites? Quel bel esprit est des vôtres?

MAGDELON. — Hélas! nous ne sommes pas encore connues; mais nous sommes en passe de l'être, et nous avons une amie particulière qui nous a promis d'amener ici tous ces messieurs 60 du *Recueil des pièces choisies*[1].

CATHOS. — Et certains autres qu'on nous a nommés aussi pour être les arbitres des belles choses.

MASCARILLE. — C'est moi qui ferais votre affaire mieux que personne; ils me rendent tous visite; et je puis dire que je 65 ne me lève jamais sans une demi-douzaine de beaux esprits.

MAGDELON. — Hé! mon Dieu! nous vous serons obligées de la dernière obligation, si vous nous faites cette amitié; car enfin il faut avoir la connaissance de tous ces messieurs-là si l'on veut être du beau monde. Ce sont eux qui donnent le 70 branle[2] à la réputation dans Paris, et vous savez qu'il y en a tel dont il ne faut que la seule fréquentation pour vous donner bruit[3] de connaisseuse, quand il n'y aurait rien d'autre chose que cela. Mais, pour moi, ce que je considère particulièrement, c'est que, par le moyen de ces visites spirituelles[4], on est ins- 75 truite de cent choses qu'il faut savoir de nécessité et qui sont de l'essence[5] d'un bel esprit. On apprend par là chaque jour les petites nouvelles galantes, les jolis commerces[6] de prose et de vers. On sait à point nommé : « Un tel a composé la plus jolie pièce du monde sur un tel sujet; une telle a fait des paroles 80 sur un tel air; celui-ci a fait un madrigal[7] sur une jouissance[8]; celui-là a composé des stances[9] sur une infidélité : monsieur un tel écrivit hier au soir un sixain[10] à mademoiselle une telle, dont elle lui a envoyé la réponse ce matin sur les huit heures; un tel auteur a fait un tel dessein[11]; celui-là en est à la troisième 85 partie de son roman; cet autre met ses ouvrages sous la presse. »

1. Recueil de vers et de prose, comme on en voyait beaucoup à l'époque. Allusion ici à celui qui a été publié pour la première fois en 1653 et intitulé *Pièces choisies de MM. Corneille, Benserade, de Scudéry, Boisrobert et quelques autres...*; 2. *Le branle* : l'élan; 3. *Bruit* : réputation; 4. *Spirituel* : où triomphe l'esprit; 5. *Essence* : caractère fondamental. Mot scolastique; 6. *Commerces* : échanges; 7. *Madrigal* : petite pièce de vers spirituelle. La *Guirlande de Julie* était composée de madrigaux et, de son côté, Monsieur de La Sablière avait reçu le titre de « grand madrigalier français »; 8. *Jouissance* : amour satisfait; 9. *Stances* : pièces composées en strophes (voir les *Stances à Marquise* de Corneille, et encore les stances de Rodrigue ou de Polyeucte); 10. *Sixain* : pièce de six vers; 11. *Dessein* : plan d'un ouvrage.

L'ENTRÉE DE MASCARILLE
Représentation du Centre dramatique du Sud-Ouest (1949).

C'est là ce qui vous fait valoir dans les compagnies, et, si l'on ignore ces choses, je ne donnerais pas un clou[1] de tout l'esprit qu'on peut avoir.

90 CATHOS. — En effet, je trouve que c'est renchérir sur le ridicule qu'une personne se pique d'esprit et ne sache pas jusqu'au moindre petit quatrain qui se fait chaque jour; et, pour moi, j'aurais toutes les hontes du monde s'il fallait qu'on vînt à me demander si j'aurais vu quelque chose de nouveau que je n'aurais pas vu. **(27)**

95 MASCARILLE. — Il est vrai qu'il est honteux de n'avoir pas des premiers tout ce qui se fait; mais ne vous mettez pas en peine : je veux établir chez vous une académie[2] de beaux esprits, et je vous promets qu'il ne se fera pas un bout de vers dans Paris que vous ne sachiez par cœur avant tous les autres.
100 Pour moi, tel que vous me voyez, je m'en escrime un peu quand je veux; et vous verrez courir de ma façon, dans les belles ruelles[3] de Paris, deux cents chansons[4], autant de sonnets[5], quatre cents épigrammes[6] et plus de mille madrigaux, sans compter les énigmes[7] et les portraits[8]. **(28)**

---

1. *Un clou* : une miette; 2. *Académie* : nom général qui désigne une société d'érudits et d'hommes de lettres. Certains salons s'étaient érigés en académies, et le mot fut encore plus en honneur après la fondation de l'Académie française (voir le salon de Philaminte dans *les Femmes savantes*); 3. La Précieuse recevait couchée dans sa chambre à coucher. Les invités l'entouraient dans les *ruelles* bordant le lit. Mais le mot était souvent pris au sens de « salon »; 4. La vie de salon avait mis à la mode la chanson sentimentale et galante : Mainard, Racan, Saint-Amant, Voiture et bien d'autres poètes composèrent des chansons; 5. La vogue du sonnet dans les salons est attestée par la querelle au sujet des sonnets de *Job* (Benserade) et d'*Uranie* (Voiture); cette querelle eut lieu autour de 1650; 6. *Épigramme* : « Un bon mot de deux rimes orné » (Boileau); 7. *Énigme* : divertissement très à la mode. L'abbé Cotin fut surnommé « le père de l'énigme ». L'année même des *Précieuses ridicules*, il venait d'en imprimer quatre-vingt-dix; 8. *Portrait* : genre mis à la mode par Mlle de Scudéry. C'est un jeu auquel on s'amuse aussi dans le salon de Célimène (voir *le Misanthrope*, acte II, scène IV).

■ QUESTIONS ■

27. A quel aspect de la préciosité Molière s'attaque-t-il dans toute cette partie de la scène? Peut-on aisément découvrir l'opinion de Molière à la façon dont il parle de la vie littéraire des salons précieux? Que reproche-t-il aux œuvres des « beaux esprits »? — Relevez des traits de snobisme chez Magdelon et plus encore chez Cathos. Montrez que le style du dialogue change ici pour donner plus de relief à la satire.

28. Le rôle que Mascarille se propose de tenir dans le salon des deux Précieuses; comment Molière raille-t-il ici les « animateurs » des cercles littéraires? De quelle façon Mascarille fait-il valoir ses talents? Rapprochez des projets de Mascarille ceux qui prendront naissance dans le salon de Philaminte (*les Femmes savantes*, acte III, scène II).

105 MAGDELON. — Je vous avoue que je suis furieusement pour les portraits; je ne vois rien de si galant que cela.

MASCARILLE. — Les portraits sont difficiles et demandent un esprit profond : vous en verrez de ma manière qui ne vous déplairont pas.

110 CATHOS. — Pour moi, j'aime terriblement les énigmes.

MASCARILLE. — Cela exerce l'esprit, et j'en ai fait quatre encore ce matin, que je vous donnerai à deviner.

MAGDELON. — Les madrigaux sont agréables, quand ils sont bien tournés.

115 MASCARILLE. — C'est mon talent particulier; et je travaille à mettre en madrigaux toute l'histoire romaine[1].

MAGDELON. — Ah! certes, cela sera du dernier beau; j'en retiens un exemplaire au moins, si vous le faites imprimer.

MASCARILLE. — Je vous en promets à chacune un, et des
120 mieux reliés. Cela est au-dessous de ma condition[2], mais je le fais seulement pour donner à gagner aux libraires, qui me persécutent.

MAGDELON. — Je m'imagine que le plaisir est grand de se voir imprimé. (29)

125 MASCARILLE. — Sans doute. Mais à propos, il faut que je vous die[3] un impromptu[4] que je fis hier chez une duchesse de mes amies que je fus visiter; car je suis diablement fort sur les impromptus. (30)

CATHOS. — L'impromptu est justement la pierre de touche
130 de l'esprit.

MASCARILLE. — Écoutez donc.

───────────────

1. Benserade avait mis en rondeaux les *Métamorphoses* d'Ovide; 2. Une « personne de qualité » dérogeait en se faisant imprimer. Ainsi *la Princesse de Clèves* ne parut pas sous le nom de Mme de La Fayette; 3. *Die :* forme ancienne du subjonctif de *dire*, encore en usage au XVIIe siècle; 4. *Impromptu :* courte pièce improvisée.

─────── QUESTIONS ───────

29. Cathos et Magdelon ont-elles des idées très précises sur les jeux littéraires et poétiques auxquels Mascarille prétend exceller? Pourquoi veulent-elles paraître au courant de ce qui se fait dans les salons parisiens? Quel est ici le comique de situation?

30. De quel nouveau ridicule Molière charge-t-il ici Mascarille? En faisant des comparaisons avec Oronte *(le Misanthrope)* et avec Trissotin *(les Femmes savantes)*, montrez les défauts que Molière reproche surtout aux auteurs mondains.

MAGDELON. — Nous y sommes de toutes nos oreilles. (31)

MASCARILLE

Oh! oh! je n'y prenais pas garde :
Tandis que, sans songer à mal, je vous regarde,
135   Votre œil en tapinois me dérobe mon cœur.
Au voleur! au voleur! au voleur! au voleur! (32)

CATHOS. — Ah! mon Dieu! voilà qui est poussé dans le dernier galant.

MASCARILLE. — Tout ce que je fais a l'air cavalier[1]; cela
140 ne sent point le pédant.

MAGDELON. — Il[2] en est éloigné de plus de deux mille lieues.

MASCARILLE. — Avez-vous remarqué ce commencement, *oh!*
oh! Voilà qui est extraordinaire, *oh! oh!* Comme un homme
qui s'avise tout d'un coup, *oh! oh!* La surprise, *oh! oh!*

145 MAGDELON. — Oui, je trouve ce *oh! oh!* admirable.

MASCARILLE. — Il semble que cela ne soit rien.

CATHOS. — Ah! mon Dieu! que dites-vous? Ce sont là de
ces sortes de choses qui ne se peuvent payer.

MAGDELON. — Sans doute; et j'aimerais mieux avoir fait
150 ce *oh! oh!* qu'un poème épique[3].

MASCARILLE. — Tudieu[4]! vous avez le goût bon.

MAGDELON. — Eh! je ne l'ai pas tout à fait mauvais.

MASCARILLE. — Mais n'admirez-vous pas aussi *Je n'y pre-*
nais pas garde? Je n'y prenais pas garde, je ne m'apercevais
155 pas de cela; façon de parler naturelle, *je n'y prenais pas garde.*

---

1. A l'air aisé, dégagé (voir plus loin : *à la cavalière*); 2. *Il* : cela; 3. Dans *les Femmes savantes*, Bélise pensera la même chose de l'expression « quoi qu'on die » du sonnet de Trissotin. L'épopée est encore en ce temps considérée comme une des formes les plus nobles de la poésie : c'est l'époque où Chapelain publie son épopée sur Jeanne d'Arc, *la Pucelle* (1656), et où bien d'autres œuvres du même genre voient le jour; 4. Juron permis. Contraction de *vertu de Dieu.*

QUESTIONS

31. La situation sera-t-elle la même dans *les Femmes savantes?*

32. Le caractère de ces vers qui ne font qu'illustrer le thème à la mode du « vol des cœurs » (dès 1614, dans *la Fleur des chansons nouvelles*, une chanson a pour refrain : :

Ô voleur, Ô voleur, Ô voleur
Rends-moi mon cœur que tu m'as pris).

Tandis que, sans songer à mal, tandis qu'innocemment, sans malice, comme un pauvre mouton, *je vous regarde,* c'est-à-dire je m'amuse à vous considérer, je vous observe, je vous contemple; *votre œil en tapinois...* Que vous semble de ce mot
160 *tapinois?* N'est-il pas bien choisi?

CATHOS. — Tout à fait bien.

MASCARILLE. — *Tapinois,* en cachette; il semble que ce soit un chat qui vienne de prendre une souris, *tapinois!*

MAGDELON. — Il ne se peut rien de mieux.

165 MASCARILLE. — *Me dérobe mon cœur,* me l'emporte, me le ravit. *Au voleur! au voleur! au voleur! au voleur!* Ne diriez-vous pas que c'est un homme qui crie et court après un voleur pour le faire arrêter? *Au voleur! au voleur! au voleur! au voleur!* (33)

170 MAGDELON. — Il faut avouer que cela a un tour spirituel et galant.

MASCARILLE. — Je veux vous dire l'air que j'ai fait dessus.

CATHOS. — Vous avez appris la musique?

MASCARILLE. — Moi? Point du tout.

175 CATHOS. — Et comment donc cela se peut-il?

MASCARILLE. — Les gens de qualité savent tout sans avoir jamais rien appris. (34)

MAGDELON. — Assurément, ma chère.

MASCARILLE. — Écoutez si vous trouverez l'air à votre goût :
180 hem, hem, la, la, la, la, la. La brutalité de la saison a furieusement outragé la délicatesse de ma voix; mais il n'importe, c'est à la cavalière[1]. *(Il chante.)*

1. *A la cavalière :* sans façon.

QUESTIONS

33. Que reprochez-vous à Mascarille faisant ainsi le commentaire de son propre texte? En quoi ce commentaire est-il comique? — Le rôle de Cathos et de Magdelon pendant toute cette partie de la scène : quelle est la seule réplique où Magdelon lance une idée qu'elle peut croire originale?

34. Quelle est la portée de cette phrase? Cherchez dans le rôle de Monsieur Jourdain (*le Bourgeois gentilhomme,* acte premier, scène II) une réflexion du même genre.

CATHOS. — Ah! que voilà un air qui est passionné! Est-ce qu'on n'en meurt point?

185 MAGDELON. — Il y a de la chromatique[1] là-dedans. (35)

MASCARILLE. — Ne trouvez-vous pas la pensée bien exprimée dans le chant? *Au voleur!...* Et puis, comme si l'on criait bien fort, *au, au, au, au, au, au voleur!* Et tout d'un coup, comme une personne essoufflée, *au voleur!*

190 MAGDELON. — C'est là savoir le fin des choses, le grand fin, le fin du fin[2]. Tout est merveilleux, je vous assure; je suis enthousiasmée de l'air et des paroles.

CATHOS. — Je n'ai encore rien vu de cette force-là.

MASCARILLE. — Tout ce que je fais me vient naturellement, 195 c'est sans étude.

MAGDELON. — La nature vous a traité en vraie mère passionnée, et vous en êtes l'enfant gâté. (36)

MASCARILLE. — A quoi donc passez-vous le temps?

CATHOS. — A rien du tout.

200 MAGDELON. — Nous avons été jusqu'ici dans un jeûne effroyable de divertissements. (37)

MASCARILLE. — Je m'offre à vous mener l'un de ces jours à la comédie[3], si vous voulez; aussi bien on en doit jouer une nouvelle que je serai bien aise que nous voyions ensemble.

205 MAGDELON. — Cela n'est pas de refus.

MASCARILLE. — Mais je vous demande d'applaudir comme il faut, quand nous serons là; car je me suis engagé de[4] faire

---

1. *Chromatique* : terme technique de l'art musical. La gamme chromatique est composée d'une suite de demi-tons et caractérise par conséquent les passages langoureux; 2. Encore un adjectif substantivé à la mode. Ici, il est rehaussé par la progression des termes; 3. *Comédie* : pièce de théâtre qui peut être aussi bien, en ce sens général, une tragédie qu'une pièce comique; 4. *Engagé à* : ce verbe peut alors, selon la tournure de la phrase, se construire avec *de* ou *à* (voir deux lignes plus loin); construction comparable à celle qui subsiste en français moderne avec *forcé de*, *forcer à* ou *obligé de*, *obliger à*.

QUESTIONS

35. Que révèle ce mot savant? Sa définition montre-t-elle que l'air est en harmonie avec les paroles? L'effet comique de cet intermède chanté.

36. Relevez les expressions et le jeu traduisant l'extase précieuse.

37. Comment la conversation évolue-t-elle vers ce nouveau sujet? Quelle différence entre la réponse de Cathos et celle de Magdelon?

valoir la pièce, et l'auteur m'en est venu prier encore ce matin.
C'est la coutume ici qu'à nous autres gens de condition,
210 les auteurs viennent lire leurs pièces nouvelles, pour nous
engager à les trouver belles et leur donner de la réputation[1];
et je vous laisse à penser si, quand nous disons quelque chose,
le parterre[2] ose nous contredire! Pour moi, j'y suis fort exact;
et quand j'ai promis à quelque poète, je crie toujours : « Voilà
215 qui est beau! » devant que les chandelles[3] soient allumées.

MAGDELON. — Ne m'en parlez point : c'est un admirable
lieu que Paris; il s'y passe cent choses tous les jours qu'on
ignore dans les provinces, quelque spirituelle qu'on puisse être.

CATHOS. — C'est assez : puisque nous sommes instruites,
220 nous ferons notre devoir de nous écrier[4] comme il faut sur
tout ce qu'on dira. (38)

MASCARILLE. — Je ne sais si je me trompe; mais vous avez
toute la mine d'avoir fait quelque comédie.

MAGDELON. — Hé! il pourrait être quelque chose de ce que
225 vous dites.

MASCARILLE. — Ah! ma foi! il faudra que nous la voyions.
Entre nous, j'en ai composé une que je veux faire représenter.

CATHOS. — Hé! à quels comédiens la donnerez-vous?

MASCARILLE. — Belle demande! Aux grands comédiens[5]; il

---

1. Les auteurs présentaient souvent leurs œuvres dans les cercles mondains avant
de les livrer au public : c'est chez Mme de Rambouillet que Corneille avait fait une
lecture de *Polyeucte*. Molière et bien d'autres écrivains agiront souvent de même;
2. Les applaudissements du *parterre*, où se trouve la masse du public, sont pour
Molière une preuve que l'œuvre est bonne, et importent plus que l'approbation des
salons ou l'opinion des « gens de qualité »; 3. Les *chandelles* étaient suspendues
sur le devant de la scène; au début, des lattes mises en croix portaient quatre chandelles qui éclairaient mal; à partir de 1661, quand Molière sera au Palais-Royal,
les lattes seront remplacées par des lustres; 4. *S'écrier :* se récrier d'admiration;
5. Première attaque de Molière contre les comédiens de l'Hôtel de Bourgogne.
Ce sera la grande troupe rivale de celle de Molière, lequel se moquera souvent de
leur diction emphatique (voir surtout l'*Impromptu de Versailles*). L'Hôtel de Bourgogne, à son tour, jouera des pièces dirigées contre Molière, telle que *Elomire*
(anagramme de Molière) *hypocondre*.

QUESTIONS

— 38. La satire des mœurs de théâtre : contre quelles coutumes de son
temps Molière s'insurge-t-il ici? Aura-t-il lui-même à souffrir de ces
« cabales » qui décident à l'avance du succès ou de l'échec d'une pièce?
— La réaction de Magdelon et de Cathos : ne devraient-elles pas être
surprises de la façon dont on fait le succès d'une pièce? Montrez qu'à
travers les deux Précieuses Molière vise toute une partie du public des
théâtres.

230 n'y a qu'eux qui soient capables de faire valoir les choses ;
les autres sont des ignorants qui récitent comme l'on parle ;
ils ne savent pas faire ronfler les vers et s'arrêter au bel endroit :
et le moyen de connaître où est le beau vers, si le comédien
ne s'y arrête, et ne nous avertit par là qu'il faut faire le
235 brouhaha ?

CATHOS. — En effet, il y a manière de faire sentir aux auditeurs les beautés d'un ouvrage : et les choses ne valent que ce
qu'on les fait valoir. **(39)**

MASCARILLE. — Que vous semble de ma petite oie¹ ? La
240 trouvez-vous congruente² à l'habit ?

CATHOS. — Tout à fait.

MASCARILLE. — Le ruban est bien choisi.

MAGDELON. — Furieusement bien. C'est Perdrigeon³ tout pur.

MASCARILLE. — Que dites-vous de mes canons ?

245 MAGDELON. — Ils ont tout à fait bon air.

MASCARILLE. — Je puis me vanter au moins qu'ils ont un
grand quartier⁴ plus que tous ceux qu'on fait.

MAGDELON. — Il faut avouer que je n'ai jamais vu porter
si haut l'élégance de l'ajustement.

250 MASCARILLE. — Attachez un peu sur ces gants la réflexion⁵
de votre odorat.

MAGDELON. — Ils sentent terriblement bon.

CATHOS. — Je n'ai jamais respiré une odeur mieux condi-
tionnée⁶.

---

1. *Petite oie* : désigne, en cuisine, les parties accessoires de l'oie (abatis) qui
servent de garniture à l'oie rôtie. Ici, ce sont les parties accessoires de l'habit, telle
que le ruban, les gants, les cordons du chapeau, etc. ; 2. *Congruent* : s'accordant
bien. Terme pédantesque formé par Molière sur l'adjectif *congru*, mot qui n'appartient qu'au vocabulaire savant (voir aussi page 34, note 2) ; 3. *Perdrigeon* : le
plus grand mercier de l'époque ; 4. *Quartier* : quart d'une aune ou 0,30 m, l'aune
mesurant 1,20 m. On dit donc un *quartier* d'étoffe, un *quartier* de ruban ; 5. *Réflexion* :
ici, phénomène physique ; l'odeur est renvoyée par l'objet, à la manière d'un rayon
lumineux réfléchi par un miroir ; 6. *Conditionné* : pourvu des qualités requises.

━━━━━ QUESTIONS ━━━━━

39. Le problème de l'interprétation : comment, d'après ce passage,
Molière conçoit-il le jeu des acteurs ? Cherchez, dans l'*Impromptu de
Versailles*, d'autres critiques adressées à la troupe de l'Hôtel de Bourgogne. Importance de ces renseignements pour la connaissance de la
vie théâtrale au XVIIᵉ siècle.

LES PRÉCIEUSES
RIDICULES
À
LA COMÉDIE-
FRANÇAISE

—

CATHOS
(Yvonne Gaudeau)

MASCARILLE
(Georges Chamarat)
et

MAGDELON
(Micheline Boudet)

Phot. Lipnitzki.

255 MASCARILLE. — Et celle-là? *(Il donne à sentir les cheveux poudrés de sa perruque.)*

MAGDELON. — Elle est tout à fait de qualité; le sublime[1] en est touché délicieusement.

MASCARILLE. — Vous ne me dites rien de mes plumes! 260 Comment les trouvez-vous?

CATHOS. — Effroyablement belles.

MASCARILLE. — Savez-vous que le brin me coûte un louis d'or? Pour moi, j'ai cette manie de vouloir donner généralement sur[2] tout ce qu'il y a de plus beau.

265 MAGDELON. — Je vous assure que nous sympathisons, vous et moi. J'ai une délicatesse furieuse pour tout ce que je porte; et, jusqu'à mes chaussettes[3], je ne puis rien souffrir qui ne soit de la bonne faiseuse. **(40)**

MASCARILLE, *s'écriant brusquement*. — Ahi! ahi! ahi! dou- 270 cement. Dieu me damne! mesdames, c'est fort mal en user; j'ai à me plaindre de votre procédé; cela n'est pas honnête.

CATHOS. — Qu'est-ce donc? Qu'avez-vous?

MASCARILLE. — Quoi! toutes deux contre mon cœur, en même temps! M'attaquer à droit[4] et à gauche! Ah! c'est 275 contre le droit des gens; la partie n'est pas égale; et je m'en vais crier au meurtre.

CATHOS. — Il faut avouer qu'il dit les choses d'une manière particulière.

MAGDELON. — Il a un tour admirable dans l'esprit.

---

1. *Sublime :* adjectif substantivé à la mode, désignant l'endroit où montent les odeurs, c'est-à-dire le cerveau; 2. *Donner sur :* comme *donner dans*, métaphore militaire fréquente chez les Précieuses et qui signifie « se lancer avec impétuosité »; 3. *Chaussette :* bas de toile sans pied, qui se trouve sous le bas de dessus en soie; 4. *A droit :* à droite (du côté droit); expression ancienne, encore vivante au XVIIe siècle.

──────── QUESTIONS ────────

40. Montrez toutes les fautes commises contre la bonne éducation et le bon goût dans ce passage où Mascarille et les Précieuses croient pourtant faire assaut d'une politesse raffinée.

280   CATHOS. — Vous avez plus de peur que de mal, et votre cœur crie avant qu'on l'écorche.

MASCARILLE. — Comment, diable! il est écorché depuis la tête jusqu'aux pieds. **(41) (42)**

Scène X. — MAROTTE, MASCARILLE, CATHOS, MAGDELON.

MAROTTE. — Madame, on demande à vous voir.

MAGDELON. — Qui?

MAROTTE. — Le vicomte de Jodelet.

MASCARILLE. — Le vicomte de Jodelet?

5   MAROTTE. — Oui, monsieur.

CATHOS. — Le connaissez-vous?

MASCARILLE. — C'est mon meilleur ami.

MAGDELON. — Faites entrer vitement.

MASCARILLE. — Il y a quelque temps que nous ne nous
10 sommes vus, et je suis ravi de cette aventure.

CATHOS. — Le voici.

───── QUESTIONS ─────

41. Rapprochez de la fin de la scène le début. Pourquoi Mascarille termine-t-il comme il a commencé, et pourquoi Marotte survient-elle à ce moment précis?

42. SUR L'ENSEMBLE DE LA SCÈNE IX. — Montrez avec quel naturel et quelle désinvolture les différents sujets de conversation sont successivement abordés : Mascarille tient-il bien le rôle qu'avait annoncé La Grange à la fin de la scène première?

— Enumérez tous les ridicules que Molière accumule sur le personnage de Mascarille : comment celui-ci peut-il prendre à nos yeux l'apparence d'un marquis ridicule sans qu'on oublie qu'il est un valet?

— D'après le langage, le goût et la mode, essayez d'analyser la préciosité ridicule. Relevez les allusions à l'actualité. Quelle part Molière accorde-t-il à la satire personnelle?

— Essayez de noter comment vous interpréteriez le rôle de Mascarille dans un passage de votre choix.

SCÈNE XI. — JODELET, MASCARILLE, CATHOS, MAGDELON, MAROTTE.

MASCARILLE. — Ah! vicomte!

JODELET, *s'embrassant l'un l'autre.* — Ah! marquis!

MASCARILLE. — Que je suis aise de te rencontrer.

JODELET. — Que j'ai de joie de te voir ici!

5 MASCARILLE. — Baise-moi donc, encore un peu, je te prie.

MAGDELON. — Ma toute bonne, nous commençons d'être connues : voilà le beau monde qui prend le chemin de nous venir voir.

MASCARILLE. — Mesdames, agréez que je vous présente ce
10 gentilhomme-ci : sur ma parole, il est digne d'être connu de vous.

JODELET. — Il est juste de venir vous rendre ce qu'on vous doit; et vos attraits exigent leurs droits seigneuriaux[1] sur toutes sortes de personnes.

15 MAGDELON. — C'est pousser vos civilités jusqu'aux derniers confins de la flatterie.

CATHOS. — Cette journée doit être marquée dans notre almanach[2] comme une journée bienheureuse.

MAGDELON, *à Almanzor.* — Allons, petit garçon[3], faut-il
20 toujours vous répéter les choses? Voyez-vous pas qu'il faut le surcroît[4] d'un fauteuil? **(43)**

MASCARILLE. — Ne vous étonnez point de voir le vicomte de la sorte; il ne fait que sortir d'une maladie qui lui a rendu le visage pâle[5] comme vous le voyez.

25 JODELET. — Ce sont fruits des veilles de la cour et des fatigues de la guerre.

---

1. Mode précieuse personnifiant une qualité avant de filer l'image; 2. L'almanach servait en même temps d'agenda; 3. Comique à la représentation, où le rôle était tenu par De Brie, bretteur de haute stature; 4. *Le surcroît :* abstraction précieuse pour dire « un fauteuil de plus »; 5. Jodelet a le visage enfariné. Sur ce personnage, voir page 26, note 9.

--- **QUESTIONS** ---

43. Comparez l'entrée de Jodelet à celle de Mascarille : quels effets comiques sont comparables? — La fierté des deux Précieuses ne prouve-t-elle pas leur sottise? A quelles règles élémentaires de politesse manque Jodelet?

MASCARILLE. — Savez-vous, mesdames, que vous voyez dans le vicomte un des vaillants hommes du siècle? C'est un brave à trois poils[1].

30 JODELET. — Vous ne m'en devez rien[2], marquis; et nous savons ce que vous savez faire aussi.

MASCARILLE. — Il est vrai que nous nous sommes vus tous deux dans l'occasion[3].

JODELET. — Et dans des lieux où il faisait fort chaud.

35 MASCARILLE, *regardant Cathos et Magdelon.* — Oui, mais non pas si chaud qu'ici. Hay, hay, hay.

JODELET. — Notre connaissance s'est faite à l'armée; et, la première fois que nous nous vîmes, il commandait un régiment de cavalerie sur les galères de Malte[4].

40 MASCARILLE. — Il est vrai; mais vous étiez pourtant dans l'emploi avant que j'y fusse; et je me souviens que je n'étais que petit officier[5] encore que vous commandiez deux mille chevaux.

JODELET. — La guerre est une belle chose; mais, ma foi, 45 la cour récompense bien mal aujourd'hui les gens de service[6] comme nous.

MASCARILLE. — C'est ce qui fait que je veux pendre l'épée au croc. **(44)**

CATHOS. — Pour moi, j'ai un furieux tendre pour les hommes 50 d'épée.

1. Assimilation du brave parfait au velours *à trois poils* qui était de la meilleure qualité, car la trame contenait trois fils de soie; 2. Vous ne m'êtes inférieur en rien; 3. *L'occasion* : le combat; 4. L'ordre militaire de *Malte* continuait encore au xviiᵉ siècle à lutter en Méditerranée contre les Turcs; la présence de cavalerie sur les galères est évidemment destinée à créer un effet comique. Les seules galères que Mascarille et Jodelet aient pu connaître sont peut-être les galères du roi, où les rameurs étaient des condamnés de droit commun; 5. *Petit officier* : officier subalterne; 6. *De service* : au service du roi, et plus spécialement à l'armée; mais le *service* désigne aussi la domesticité.

——— QUESTIONS ———

44. Jodelet est-il aussi adroit à mener la conversation que Mascarille? Montrez que c'est celui-ci qui mène le jeu. Sur quel genre de sujet engage-t-il son compagnon? — La nouvelle situation comique ainsi créée par les deux compères : quel plaisir prennent-ils à faire des allusions à leur passé, sans que Cathos et Magdelon puissent les comprendre? comment peut-on imaginer ce passé de Mascarille et de Jodelet?

MAGDELON. — Je les aime aussi; mais je veux que l'esprit assaisonne la bravoure. **(45)**

MASCARILLE. — Te souvient-il, vicomte, de cette demi-lune¹ que nous emportâmes sur les ennemis au siège d'Arras²?

55   JODELET. — Que veux-tu dire, avec ta demi-lune? C'était une lune³ tout entière.

MASCARILLE. — Je pense que tu as raison.

JODELET. — Il m'en doit bien souvenir, ma foi! J'y fus blessé à la jambe d'un coup de grenade, dont je porte encore les
60   marques. Tâtez un peu, de grâce : vous sentirez quel coup c'était là.

CATHOS, *après avoir touché l'endroit*. — Il est vrai que la cicatrice est grande.

MASCARILLE. — Donnez-moi un peu votre main, et tâtez
65   celui-ci; là, justement, au derrière de la tête. Y êtes-vous?

MAGDELON. — Oui : je sens quelque chose.

MASCARILLE. — C'est un coup de mousquet que je reçus, la dernière campagne que j'ai faite.

JODELET, *découvrant sa poitrine*. — Voici un autre coup qui
70   me perça de part en part à l'attaque de Gravelines⁴.

MASCARILLE, *mettant la main sur le bouton de son haut-de-chausses*. — Je vais vous montrer une furieuse plaie. **(46)**

MAGDELON. — Il n'est pas nécessaire : nous y croyons sans y regarder.

75   MASCARILLE. — Ce sont des marques honorables qui font voir ce qu'on est.

---

1. *Demi-lune :* élément de fortification, de forme triangulaire à l'extérieur, demi-circulaire à l'intérieur, d'où son nom; 2. *Arras* fut pris en 1640 par le maréchal de Meilleraye, ami de Molière; 3. Une fois encore Molière n'exagère en rien. Il se contente de reprendre un mot célèbre du marquis de Nesles. Comme on lui proposait de faire une demi-lune, il s'écria : « Messieurs, ne faisons rien à demi pour le service du roi; faisons-en une tout entière. » Le trait est rapporté par Tallemant des Réaux; 4. *Gravelines* avait été pris par les Espagnols en 1658. Mais il semble plutôt qu'il s'agisse d'un fait plus ancien qui s'était déroulé en 1644.

——— QUESTIONS ———

45. Comment se dessine le choix de Cathos et de Magdelon? Vers qui va la préférence de chacune d'elles? Ce choix est-il conforme à leur caractère?

46. La vulgarité de Jodelet; les effets comiques de cette partie de la scène.

CATHOS. — Nous ne doutons point de ce que vous êtes. (47)

MASCARILLE. — Vicomte, as-tu là ton carrosse?

JODELET. — Pourquoi?

MASCARILLE. — Nous mènerions promener ces dames hors des portes, et leur donnerions un cadeau[1].

MAGDELON. — Nous ne saurions sortir aujourd'hui.

MASCARILLE. — Ayons donc les violons pour danser.

JODELET. — Ma foi! c'est bien avisé.

MAGDELON. — Pour cela, nous y consentons; mais il faut donc quelque surcroît[2] de compagnie.

MASCARILLE. — Holà! Champagne, Picard, Bourguignon, Cascaret, Basque, La Verdure, Lorrain, Provençal, La Violette[3]! Au diable soient tous les laquais! Je ne pense pas qu'il y ait gentilhomme en France plus mal servi que moi. Ces canailles me laissent toujours seul. (48)

MAGDELON. — Almanzor, dites aux gens de monsieur qu'ils aillent querir des violons, et nous faites venir ces messieurs et ces dames d'ici près pour peupler la solitude de notre bal. (Almanzor sort.)

MASCARILLE. — Vicomte, que dis-tu de ces yeux?

JODELET. — Mais toi-même, marquis, que t'en semble? (49)

MASCARILLE. — Moi, je dis que nos libertés auront peine à sortir d'ici les braies[4] nettes. Au moins, pour moi, je reçois d'étranges secousses, et mon cœur ne tient plus qu'à un filet.

MAGDELON. — Que tout ce qu'il dit est naturel! (50) Il tourne les choses le plus agréablement du monde.

CATHOS. — Il est vrai qu'il fait une furieuse dépense en esprit.

---

1. *Cadeau* : partie de campagne; 2. Voir page 54, ligne 21 et la note; 3. Noms de province ou sobriquets qu'on donne habituellement aux laquais; 4. Plaisanterie grossière évoquant la colique qui s'empare des jeunes recrues au combat.

QUESTIONS

47. Importance des deux dernières répliques pour le comique de situation.

48. Qu'ont de comique les récriminations de Mascarille?

49. Pourquoi Jodelet esquive-t-il la réponse? Se sent-il aussi à l'aise que Mascarille dans les propos galants?

50. Dégagez le comique de cette réflexion faite précisément à ce moment.

MASCARILLE. — Pour vous montrer que je suis véritable[1], je veux faire un impromptu là-dessus. *(Il médite.)*

105 CATHOS. — Hé! je vous en conjure de toute la dévotion de mon cœur, que nous oyions[2] quelque chose qu'on ait fait pour nous.

JODELET. — J'aurais envie d'en faire autant; mais je me trouve un peu incommodé[3] de la veine poétique pour[4] la
110 quantité des saignées que j'y ai faites ces jours passés.

MASCARILLE. — Que diable est-ce là! Je fais toujours bien le premier vers; mais j'ai peine à faire les autres. Ma foi! ceci est un peu trop pressé; je vous ferai un impromptu à loisir[5], que vous trouverez le plus beau du monde.

115 JODELET. — Il a de l'esprit comme un démon.

MAGDELON. — Et du galant, et du bien tourné. **(51)**

MASCARILLE. — Vicomte, dis-moi un peu, y a-t-il longtemps que tu n'as vu la comtesse?

JODELET. — Il y a plus de trois semaines que je ne lui ai
120 rendu visite.

MASCARILLE. — Sais-tu bien que le duc m'est venu voir ce matin et m'a voulu mener à la campagne courir un cerf avec lui? **(52)**

MAGDELON. — Voici nos amies qui viennent. **(53)**

SCÈNE XII. — JODELET, MASCARILLE, CATHOS, MAGDELON, MAROTTE, LUCILE.

MAGDELON. — Mon Dieu, mes chères, nous vous deman-

---

1. *Véritable* : sincère; 2. Le verbe *ouïr* est déjà vieilli au XVIIe siècle : cet archaïsme trahit l'origine provinciale de Cathos, qui croit pourtant user du beau langage; 3. *Incommodé* : malade, affaibli; 4. *Pour* : à cause de; 5. Opposition plaisante. Du reste, Furetière nous dit que les poètes de salon avaient toujours en réserve une collection d' « impromptus de poche ».

─────── ■ **QUESTIONS** ───────

51. L'admiration de Jodelet et celle de Magdelon ont-elles le même motif?

52. Le dernier thème de la conversation : cette façon de se vanter de ses « relations » a-t-elle gardé son actualité?

53. SUR L'ENSEMBLE DE LA SCÈNE XI. — Montrez, d'après le mouvement de la scène, que Mascarille en est le meneur de jeu. En quoi Mascarille est-il supérieur à Jodelet?
— Relevez les traits de grosse farce. Mais le comique d'observation disparaît-il pour autant?

dons pardon. Ces messieurs ont eu fantaisie de nous donner les âmes des pieds[1], et nous vous avons envoyé querir pour remplir les vides de notre assemblée.

5   LUCILE. — Vous nous avez obligées sans doute[2].

MASCARILLE. — Ce n'est ici qu'un bal à la hâte; mais l'un de ces jours nous vous en donnerons un dans les formes. Les violons sont-ils venus?

ALMANZOR. — Oui, monsieur, ils sont ici.

10   CATHOS. — Allons donc, mes chères, prenez place.

MASCARILLE, *dansant lui seul comme par prélude.* — La, la, la, la, la, la, la, la.

MAGDELON. — Il a tout à fait la taille élégante.

CATHOS. — Et a la mine de danser proprement[3].

15   MASCARILLE, *ayant pris Magdelon pour danser.* — Ma franchise va danser la courante[4] aussi bien que mes pieds[5]. En cadence, violons, en cadence. Oh! quels ignorants! Il n'y a pas moyen de danser avec eux. Le diable vous emporte! ne sauriez-vous jouer en mesure? La, la, la, la, la, la, la. Ferme,
20   ô violons de village!

JODELET, *dansant ensuite.* — Holà! ne pressez pas si fort la cadence : je ne fais que sortir de maladie. **(54)**

Scène XIII. — DU CROISY, LA GRANGE, MASCARILLE, JODELET.

LA GRANGE, *un bâton à la main.* — Ah! ah! coquins! que faites-vous ici? Il y a trois heures que nous vous cherchons.

MASCARILLE, *se sentant battre.* — Ahi! ahi! ahi! vous ne m'aviez pas dit que les coups en seraient aussi.

---

1. Métaphore précieuse désignant les violons au son desquels on danse; 2. Expression importante dans la cérémonie précieuse, déjà employée par Magdelon dans la scène IV; 3. *Proprement :* élégamment; 4. *Courante :* danse aristocratique à la mode (voir *les Fâcheux*, acte premier, scène III); 5. Phrase alambiquée pour dire tout simplement : « mon indépendance va être perdue ».

——— **QUESTIONS** ———

54. L'effet comique de cette scène : d'après ce que Mascarille et Jodelet disent aux violons, imaginez-vous comment ils dansent?

5   JODELET. — Ahi! Ahi! Ahi!

LA GRANGE. — C'est bien à vous, infâme que vous êtes, à vouloir faire l'homme d'importance.

DU CROISY. — Voilà qui vous apprendra à vous connaître. **(55)** *(Ils sortent.)* **(56)**

SCÈNE XIV. MASCARILLE, JODELET, CATHOS, MAGDELON.

MAGDELON. — Que veut donc dire ceci?

JODELET. — C'est une gageure.

CATHOS. — Quoi! vous laisser battre de la sorte!

MASCARILLE. — Mon Dieu! Je n'ai pas voulu faire semblant
5   de rien[1]; car je suis violent, et je me serais emporté.

MAGDELON. — Endurer un affront comme celui-là, en notre présence!

MASCARILLE. — Ce n'est rien : ne laissons pas[2] d'achever. Nous nous connaissons il y a longtemps; et entre amis on ne
10   va pas se piquer pour si peu de chose. **(57)**

SCÈNE XV. — DU CROISY, LA GRANGE, JODELET, MASCARILLE, MAGDELON, CATHOS, VIOLONS, SPADASSINS.

LA GRANGE. — Ma foi! marauds, vous ne vous rirez pas de nous, je vous promets. Entrez, vous autres. *(Trois ou quatre spadassins entrent.)*

---

1. La négation *ne ... pas* subsiste dans cette construction, où *rien* a son sens étymologique de « quelque chose »; 2. *Ne pas laisser de :* voir page 23, note 8.

--------- QUESTIONS ---------

55. Cette phrase, qui reprend celle que Mascarille adressait aux porteurs dans la scène VII, n'exprime-t-elle pas, en somme, la morale de la pièce?

56. Pourquoi les deux jeunes gens sortent-ils si vite quérir les spadassins?

57. Comparez les explications fournies par les deux valets. Que pouvaient-ils faire d'autre? Que pensez-vous de l'attitude de La Grange et de Du Croisy?

MAGDELON. — Quelle est donc cette audace de venir nous
5 troubler de la sorte dans notre maison?

DU CROISY. — Comment! mesdames, nous endurerons que
nos laquais soient mieux reçus que nous? qu'ils viennent
vous faire l'amour[1] à nos dépens et vous donnent le bal?

MAGDELON. — Vos laquais?

10 LA GRANGE. — Oui, nos laquais; et cela n'est ni beau ni
honnête de nous les débaucher comme vous faites.

MAGDELON. — O ciel! quelle insolence!

LA GRANGE. — Mais ils n'auront pas l'avantage de se servir
de nos habits pour vous donner dans la vue; et, si vous les
15 voulez aimer, ce sera, ma foi, pour leurs beaux yeux. Vite,
qu'on les dépouille sur-le-champ.

JODELET. — Adieu notre braverie[2].

MASCARILLE. — Voilà le marquisat et le vicomté à bas.

DU CROISY. — Ah! ah! coquins! vous avez l'audace d'aller
20 sur nos brisées[3]! Vous irez chercher autre part de quoi vous
rendre agréables aux yeux de vos belles, je vous en assure.

LA GRANGE. — C'est trop que de nous supplanter, et de
nous supplanter avec nos propres habits.

MASCARILLE. — O Fortune! quelle est ton inconstance!

25 DU CROISY. — Vite, qu'on leur ôte jusqu'à la moindre chose[4].

LA GRANGE. — Qu'on emporte toutes ces hardes, dépêchez.
Maintenant, mesdames, en l'état qu'ils sont, vous pouvez
continuer vos amours avec eux tant qu'il vous plaira; nous
vous laissons toute sorte de liberté pour cela, et nous vous
30 protestons[5], monsieur et moi, que nous n'en serons aucune-
ment jaloux.

CATHOS. — Ah! quelle confusion!

MAGDELON. — Je crève de dépit.

---

1. *Faire l'amour :* courtiser; 2. *Braverie :* élégance; 3. Image empruntée à la chasse
à courre. Ce sont les branches brisées en suivant la trace de la bête; 4. La tradition
veut que Jodelet, pour dissimuler sa maigreur, ait eu une douzaine de gilets qu'il
dépouille successivement pour enfin apparaître en cuisinier, avant d'aller, tout
grelottant, se chauffer les mains à la rampe; 5. *Protester :* promettre solennellement.

VIOLONS, *au marquis.* — Qu'est-ce donc que ceci? Qui
35 nous payera, nous autres?

MASCARILLE. — Demandez à monsieur le vicomte.

VIOLONS, *au vicomte.* — Qui est-ce qui nous donnera de
l'argent?

JODELET. — Demandez à monsieur le marquis. **(58)**

Scène XVI. — GORGIBUS, MASCARILLE, JODELET, MAGDELON, CATHOS, Violons.

GORGIBUS. — Ah! coquines que vous êtes, vous nous mettez
dans de beaux draps blancs, à ce que je vois; et je viens d'apprendre de belles affaires, vraiment, de ces messieurs qui sortent!

MAGDELON. — Ah! mon père, c'est une pièce sanglante[1]
5 qu'ils nous ont faite!

GORGIBUS. — Oui, c'est une pièce sanglante, mais qui est
un effet de votre impertinence, infâmes! Ils se sont ressentis[2]
du traitement que vous leur avez fait; et cependant, malheureux que je suis, il faut que je boive l'affront.

10 MAGDELON. — Ah! je jure que nous en serons vengées, ou
que je mourrai en la peine. Et vous, marauds, osez-vous vous
tenir ici après votre insolence?

MASCARILLE. — Traiter comme cela un marquis! Voilà ce
que c'est que du monde : la moindre disgrâce nous fait mépri-
15 ser de ceux qui nous chérissaient. Allons, camarade, allons
chercher fortune autre part; je vois bien qu'on n'aime ici que
la vaine apparence, et qu'on n'y considère point la vertu[3]
toute nue. **(59)** *(Ils sortent tous deux.)*

---

1. *Pièce sanglante :* tour cruel; 2. *Se ressentir :* garder du ressentiment; 3. *La vertu :* le mérite.

QUESTIONS

58. Étudiez le comique de cirque et de mots qui se font écho.

59. Magdelon est-elle seulement ridicule ici? Quelle autre réaction
aurait-elle pu avoir si elle était plus intelligente? — Montrez le caractère
narquois et désabusé de la philosophie de Mascarille : en quel style
exprime-t-il ici la leçon qu'il tire de sa mésaventure? Doit-on dire qu'il
exprime ici la moralité de la pièce?

Scène XVII. — GORGIBUS, MAGDELON, CATHOS, Violons.

violons. — Monsieur, nous entendons[1] que vous nous contentiez, à leur défaut, pour ce que nous avons joué ici.

gorgibus, *les battant.* — Oui, oui, je vous vais contenter, et voici la monnaie dont je vous veux payer. Et vous, pen-
5 dardes, je ne sais qui[2] me tient que je ne vous en fasse autant : nous allons servir de fable et de risée à tout le monde, et voilà ce que vous vous êtes attiré par vos extravagances. Allez vous cacher vilaines[3]; allez vous cacher pour jamais. Et vous, qui êtes cause de leur folie, sottes billevesées[4], pernicieux amuse-
10 ments des esprits oisifs, romans, vers, chansons, sonnets et sonnettes[5], puissiez-vous être à tous les diables! **(60) (61)**

---

1. *Entendre* : ici, prétendre, exiger; 2. *Qui* : ce qui; *qui* interrogatif peut, au XVIIᵉ siècle, désigner une chose; 3. *Vilaines* : sottes comme des paysannes (un vilain est un homme de la campagne); 4. *Billevesée* : bille de vent, chose vide de sens; 5. Jeu de mot déjà fait par Malherbe, si l'on en croit Tallemant des Réaux.

— QUESTIONS —

60. Gorgibus est-il un personnage raisonnable? Qu'y a-t-il d'accep-table et qu'y a-t-il d'exagéré dans la morale qu'il tire de la pièce?

61. sur l'ensemble des scènes XII à XVII. — Étudiez la progression du dénouement et l'art de la mise en scène.

DOCUMENTATION THÉMATIQUE
réunie par la Rédaction des Nouveaux Classiques Larousse

LA PRÉCIOSITÉ, SUJET DE DÉBAT

Voici trois opinions sur la question : deux du xviie siècle, une d'un critique du xxe siècle. Elles peuvent servir de point de départ à une discussion qui s'appuiera sur le texte des *Précieuses ridicules* et sur les documents que nous avons réunis dans ce dossier.

◆ Somaize, *Grand Dictionnaire des Précieuses* (1660).

Les précieuses sont fortement persuadées qu'une pensée ne vaut rien lorsqu'elle est entendue de tout le monde, et c'est une de leurs maximes de dire qu'il faut nécessairement qu'une précieuse parle autrement que le peuple, afin que ses pensées ne soient entendues que de ceux qui ont des clartés au-dessus du vulgaire.

◆ La Bruyère, *les Caractères* (1689).

A. V, 6. L'on voit des gens qui, dans les conversations ou dans le peu de commerce que l'on a avec eux, vous dégoûtent par leurs ridicules expressions, par la nouveauté, et j'ose dire par l'impropriété des termes dont ils se servent, comme par l'alliance de certains mots qui ne se rencontrent ensemble que dans leur bouche, et à qui ils font signifier des choses que leurs premiers inventeurs n'ont jamais eu l'intention de leur faire dire. Ils ne suivent en parlant ni la raison ni l'usage, mais leur bizarre génie, que l'envie de toujours plaisanter, et peut-être de briller, tourne insensiblement à un jargon qui leur est propre, et qui devient ensuite leur idiome naturel ; ils accompagnent un langage si extraordinaire d'un geste affecté et d'une prononciation qui est contrefaite. Tous sont contents d'eux-mêmes et de l'agrément de leur esprit, et l'on ne peut pas dire qu'ils en soient entièrement dénués ; mais on les plaint de ce peu qu'ils en ont ; et, ce qui est pire, on en souffre.

B. V, 68. Il a régné pendant quelque temps une sorte de conversation fade et puérile, qui roulait toute sur des questions frivoles qui avaient relation au cœur et à ce qu'on appelle passion ou tendresse. La lecture de quelques romans les avait introduites parmi les plus honnêtes gens de la ville et de la cour ; ils s'en sont défaits, et la bourgeoisie les a reçues avec les pointes et les équivoques.

◆ René Bray, *la Préciosité et les Précieux* (1948).

L'esprit, le jugement, le savoir sont nécessaires à l'air galant ; toutefois ils n'y suffisent pas et leur excès peut même y nuire. Il y faut du naturel, de la naissance, le commerce de la Cour, l'habitude de la conversation avec les dames, quelque expérience de l'amour.

1. LA GENÈSE DES *PRÉCIEUSES RIDICULES*

1.1. L'EXPLICATION DE DONNEAU DE VISÉ

> On cherchera dans le texte suivant l'intention de l'auteur, dont on tentera par ailleurs de jauger l'objectivité. Prétend-il d'ailleurs faire œuvre scientifique ?

Ce fameux auteur de *l'Ecole des maris*, ayant eu dès sa jeunesse une inclination toute particulière pour le théâtre, se jeta dans la comédie, quoiqu'il pût bien se passer de cette occupation et qu'il eût assez de bien pour vivre honorablement dans le monde. Il fit quelque temps la comédie à la campagne et quoiqu'il jouât fort mal le sérieux et que dans le comique il ne fût qu'une copie de Trivelin et de Scaramouche, il ne laissa pas que de devenir en peu de temps, par son adresse et par son esprit, le Chef de sa Troupe et de l'obliger à porter son nom. Cette troupe ayant un chef si spirituel et si adroit effaça en peu de temps toutes les troupes de la campagne et il n'y avait point de comédiens dans les autres qui ne briguassent des places dans la sienne. Il fit des farces qui réussirent un peu plus que des farces et qui furent un peu plus estimées dans toutes les villes que celles que les autres comédiens jouaient. Ensuite il voulut faire une pièce en cinq actes, et les Italiens ne lui plaisant pas seulement dans leur jeu, mais encore dans leurs comédies, il en fit une qu'il tira de plusieurs des leurs, à laquelle il donna pour titre *l'Etourdi* ou *les Contretemps*. Ensuite il fit *le Dépit amoureux*, qui valait beaucoup moins que la première, mais qui réussit toutefois à cause d'une scène qui plut à tout le monde et qui fut comme un tableau naturellement représenté de certains dépits qui prennent souvent à ceux qui s'aiment le mieux ; et, après avoir fait jouer ces deux pièces à la campagne, il voulut les faire voir à Paris, où il emmena sa troupe. Comme il avait de l'esprit et qu'il savait ce qu'il fallait faire pour réussir, il n'ouvrit son théâtre qu'après avoir fait plusieurs visites et brigué quantité d'approbateurs. Il fut trouvé incapable de jouer aucunes pièces sérieuses, mais l'estime que l'on commençait à avoir pour lui fut cause que l'on le souffrît. Après avoir quelque temps joué de vieilles pièces, et de s'être en quelque façon établi à Paris, il joua son *Etourdi* et son *Dépit amoureux*, qui réussirent autant par la préoccupation que l'on commençait à avoir pour lui, que par les applaudissements qu'il reçut de ceux qu'il avait prié de le venir voir. Après le succès de ces deux pièces, son théâtre commença à se trouver continuellement rempli de gens de qualité, non pas tant pour le divertissement qu'ils y prenaient (car l'on n'y jouait que de vieilles pièces) que parce que le monde ayant pris l'habitude

d'y aller, ceux qui aimaient la compagnie et qui aimaient à se faire voir y trouvaient amplement de quoi se contenter; ainsi l'on y venait par coutume, sans dessein d'écouter la comédie et sans savoir ce que l'on y jouait. Pendant ce temps notre auteur fit réflexion sur ce qui se passait dans le monde et surtout parmi les gens de qualité, pour en reconnaître les défauts; mais comme il n'était encore ni assez hardi pour entreprendre une satire, ni assez capable pour en venir à bout, il eut recours aux Italiens, ses bons amis, et accommoda *les Précieuses* au théâtre français, qui avaient été jouées sur le leur et qui leur avaient été données par un abbé des plus galants. Il les habilla admirablement bien à la française, et la réussite qu'elles eurent lui fit connaître que l'on aimait la satire et la bagatelle. Il connut par là les goûts du siècle, il vit bien qu'il était malade et que les bonnes choses ne lui plaisaient pas. Il apprit que les gens de qualité voulaient rire à leurs dépens, qu'ils voulaient que l'on fît voir leurs défauts en public, qu'ils étaient les plus dociles du monde et qu'ils auraient été bons du temps où l'on faisait pénitence à la porte des temples, puisque, loin de se fâcher de ce que l'on publiait leurs sottises, ils s'en glorifiaient; et de fait après que l'on eut joué *les Précieuses,* où ils étaient et bien représentés et bien raillés, ils donnèrent eux-mêmes avec beaucoup d'empressement à l'auteur dont je vous entretiens des mémoires de tout ce qui se passait dans le monde et des portraits de leurs propres défauts et de ceux de leurs meilleurs amis, croyant qu'il y avait de la gloire pour eux que l'on reconnût leurs impertinences dans ses ouvrages et que l'on dît même qu'il avait voulu parler d'eux; car vous savez qu'il y a certains défauts de qualité dont ils font gloire et qu'ils seraient bien fâchés que l'on crût qu'ils ne les eussent pas. Notre auteur, ayant derechef connu ce qu'ils aimaient, vit bien qu'il fallait qu'il s'accommodât au temps, ce qu'il a si bien fait depuis qu'il en a mérité toutes les louanges que l'on n'a jamais données aux plus grands auteurs. Jamais homme ne s'est jamais si bien su servir de l'occasion, jamais homme n'a su si naturellement décrire, ni représenter les actions humaines et jamais homme n'a su si bien faire son profit des conseils d'autrui. Il fit, après *les Précieuses, le Cocu imaginaire,* qui est, à mon sentiment et à celui de beaucoup d'autres, la meilleure de toutes ses pièces et la mieux écrite. Je ne vous en entretiendrai pas davantage, et je me contenterai de vous faire savoir que vous en apprendrez beaucoup plus que je ne vous en pourrais dire, si vous voulez prendre la peine de lire la prose que vous trouverez dans l'imprimé au-dessus de chaque scène. Notre auteur, ou pour ne pas répéter ce mot si souvent, le héros de ce petit récit, après avoir fait cette pièce, reçut des gens de qualité plus de mémoires que jamais, dont l'on le pria de se

servir dans celles qu'il devait faire ensuite, et je le vis bien
embarrassé un soir après la comédie, qui cherchait partout
des tablettes pour écrire ce que lui disaient plusieurs personnes
de condition, dont il était environné ; tellement qu'on peut
dire qu'il travaillait sous les gens de qualité, pour leur
apprendre après à vivre à leurs dépens et qu'il était en ce
temps et est encore présentement leur écolier et leur maître
tout ensemble. Ces messieurs lui donnent souvent à dîner
pour avoir le temps de l'instruire en dînant de tout ce qu'ils
veulent lui faire mettre dans ses pièces ; mais comme ceux
qui croient avoir du mérite ne manquent jamais de vanité,
il rend tous les repas qu'il reçoit, son esprit le faisant aller
de pair avec beaucoup de gens qui sont beaucoup au-dessus
de lui. L'on ne doit point après cela s'étonner pourquoi l'on
voit tout le monde à ses pièces ; tous ceux qui lui donnent
des mémoires veulent voir s'il s'en sert bien ; tel y va pour
un vers, tel pour un demi-vers, tel pour un mot et tel pour une
pensée dont il l'aura prié de se servir, ce qui fait croire justement que la quantité d'auditeurs intéressés qui vont voir ses
pièces les font réussir, et non pas leur bonté toute seule,
comme quelques-uns se persuadent.

1.2. LE TEXTE DE M⁽ˡˡᵉ⁾ DESJARDINS

Cette dernière, amie de Molière, écrivit à M⁽ᵐᵉ⁾ de Morangis
un *Récit en prose et en vers de la farce des Précieuses* qui
fut publié à son insu en 1660. Peu nous importe ici que
Molière ait été au courant de cette relation de sa pièce, qu'il
l'ait approuvée — y voyant une publicité utile — ; ce qui
compte est le décalage que l'on remarque entre la version
de la pièce que nous connaissons et ce qu'aurait été un premier
état des *Précieuses* dont on pourrait juger d'après les larges
extraits que nous donnons ci-dessous de ce *Récit*.

Imaginez-vous donc, madame, que vous voyez un vieillard
vêtu comme les paladins français et poli comme un habitant
de la Gaule celtique

> Qui d'un sévère et grave ton
> Demande à la jeune soubrette
> De deux filles de grand renom
> « Que font tes maîtresses, fillette ? »

Cette fille, qui sait si bien comment se pratique la civilisation,
fait une profonde révérence au bonhomme et lui répond hum-
blement :

> Elles sont là-haut dans leur chambre,
> Qui font des mouches et du fard,
> Des parfums de civette et d'ambre
> Et de la pommade de lard.

Comme ces sortes d'occupations n'étaient pas trop en usage du temps du bonhomme, il fut extrêmement étonné de la réponse de la soubrette et regretta le temps où les femmes portaient des escoffions au lieu de perruques, et des pantoufles au lieu de patins.

> Où les parfums étaient de fine marjolaine,
> Le fard de claire eau de fontaine,
> Où le talque et le pied de veau
> N'approchaient jamais du museau.
> Où la pommade de la belle
> Etait du pur suif de chandelle.

Enfin, madame, il fit mille imprécations contre les ajustements superflus, et fit promptement appeler ces filles, pour leur témoigner son ressentiment. « Venez, Magdelon et Cathos, leur dit-il, que je vous apprenne à vivre. » A ces mots de Magdelon et de Cathos, ces deux filles firent trois pas en arrière et la plus précieuse des deux lui répliqua en ces termes :

> Bon Dieu ! ces terribles paroles
> Gâteraient le plus beau roman.
> Que vous parlez vulgairement !
> Que ne hantez-vous les écoles ?
> Et vous apprendrez dans ces lieux
> Que nous voulons des noms qui soient plus précieux.
> Pour moi, je m'appelle Clymène
> Et ma cousine, Philimène.

Vous jugez bien, madame, que ce changement de noms vulgaires en noms du monde précieux ne plurent pas à l'ancien Gaulois ; aussi s'en mit-il fort en colère contre nos dames ; et, après les avoir excitées à vivre comme le reste du monde, et à ne pas se tirer du commun par des manies si ridicules, il les avertit qu'il viendrait à l'instant deux hommes les voir, qui leur faisaient l'honneur de les rechercher.

Et, en effet, madame, peu de temps après la sortie du vieillard, il vint deux galants offrir leurs services aux demoiselles ; il me sembla même qu'ils s'en acquittaient assez bien. Mais aussi, je ne suis pas précieuse, et je l'ai connu par la manière dont ces deux illustres filles reçurent nos protestants, elles bâillèrent mille fois, elles demandèrent autant quelle heure il était, et elles donnèrent enfin tant de marques du peu de plaisir qu'elles prenaient dans la compagnie de ces aventuriers, qu'ils furent contraints de se retirer, très mal satisfaits de la réception qu'on leur avait faite, et fort résolus de s'en venger, comme vous le verrez par la suite.

Sitôt qu'ils furent sortis, nos précieuses se regardèrent l'une et l'autre, et Philimène, rompant la première le silence, s'écria avec toutes les marques d'un grand étonnement :

> Quoi ? ces gens nous offrent leurs vœux.
> Ha ! ma chère, quels amoureux !
> Ils parlent sans afféteries,
> Ils ont des jambes dégarnies,
> Une indigence de rubans,
> Des chapeaux désarmés de plumes,
> Et ne savent pas les coutumes
> Qu'on pratique à présent au pays des romans.

Comme elle achevait cette plainte, le bonhomme revint pour leur témoigner son mécontentement de la réception qu'elles avaient faite aux deux galants. Mais bon Dieu ! à qui s'adressait-il ?

> Comment, s'écria Philimène,
> Pour qui nous prennent ces amants,
> De nous conter d'abord leur peine.
> Est-ce ainsi que l'on fait l'amour dans les romans ?

« Voyez-vous, mon oncle, poursuivit-elle, voilà ma cousine qui vous dira comme moi qu'il ne faut pas aller ainsi de plain-pied au mariage. — Et voulez-vous qu'on aille au concubinage ? interrompit le vieillard irrité. — Non, sans doute, mon père, répliqua Clymène; mais il ne faut pas aussi prendre le roman par la queue. Et que serait-ce si l'illustre Cyrus épousait Mandane dès la première année, et l'amoureux Aronce la belle Clélie ? Il n'y aurait donc ni aventures ni combats. Voyez-vous, mon père, il faut prendre un cœur par les formes, et, si vous voulez m'écouter, je m'en vais vous apprendre comme on aime dans les belles manières. »
Sitôt qu'il fut sorti, la suivante vint dire à ses maîtresses qu'un laquais demandait à leur parler. Si vous pouviez concevoir, madame, combien ce mot de laquais est rude pour des oreilles précieuses, nos héroïnes vous feraient pitié. Elles firent un grand cri, et regardèrent cette petite créature avec mépris. « Mal apprise ! lui dirent-elles, ne savez-vous pas que cet officier se nomme un nécessaire ? » La réprimande faite, le nécessaire entra qui dit aux Précieuses que le marquis de Mascarille, son maître, envoyait savoir s'il ne les incommoderait point de les venir voir. L'offre était trop agréable à nos dames pour la refuser; aussi l'acceptèrent-elles de grand cœur; et sur la permission qu'elles en donnèrent, le marquis entra, dans un équipage si plaisant, que j'ai cru ne vous pas déplaire en vous en faisant la description.
Imaginez-vous donc, madame, que sa perruque était si grand qu'elle balayait la place à chaque fois qu'il faisait la révérence,

son chapeau si petit qu'il était aisé de juger que le marquis le portait bien plus souvent dans la main que sur la tête ; son rabat se pouvait appeler un honnête peignoir, et ses canons semblaient n'être faits que pour servir de caches aux enfants qui jouent à cligne-musette ; et en vérité, madame, je ne crois pas que les tentes des jeunes Massagètes soient plus spacieuses que ses honorables canons. Un brandon de glands lui sortait de sa poche comme d'une corne d'abondance, et ses souliers étaient si couverts de rubans, qu'il ne m'est pas possible de vous dire s'ils étaient de roussi, de vache d'Angleterre ou de maroquin ; du moins sais-je bien qu'ils avaient un demi-pied de haut, et que j'étais fort en peine de savoir comment des talons si hauts et si délicats pouvaient porter le corps du marquis, ses rubans, ses canons et sa poudre. Jugez de l'importance du personnage sur cette figure et me dispensez, s'il vous plaît, de vous en dire davantage : aussi bien faut-il que je passe au plus plaisant endroit de la pièce, et que je vous dise la conversation que nos Précieux et nos Précieuses eurent ensemble.

1.3. L'OPINION DE R. LA THUILLÈRE

Dans sa thèse sur *la Préciosité* (Droz, 1966), l'auteur insiste d'abord sur la nécessaire origine provinciale des deux jeunes filles :

> Dès le début de la farce, les précieuses doivent être des provinciales, c'est une condition de la vraisemblance. Par la suite, Molière a insisté à de nombreuses reprises sur cette qualité de Cathos et de Magdelon sur laquelle repose toute la mystification. Cette insistance ne résulte pas d'un prétendu remaniement superficiel et tardif qui, pour calmer les oppositions, aurait transformé des précieuses parisiennes en provinciales ; elle découle d'une exigence que l'auteur ne pouvait ignorer sans faire de sa pièce un tissu de chimères et d'absurdités. Chaque allusion à l'origine toute fraîche des jeunes filles est une excuse, ou une explication, de leur sottise et de leur naïveté.

Il en donne la raison quelques lignes plus loin :

> Elles sont prêtes à accueillir ingénument un inconnu qui se fait passer pour marquis et qui les éblouit par sa faconde et ses grands airs, ce qui eût été incroyable de la moindre bourgeoise du Marais ou même de la rue Quincampoix. A partir de là, toute une partie de la conversation va couler de source.

Comment se pose le problème par rapport au *Récit* de Mlle Desjardins ?

> Ce rapide résumé montre comment la pièce s'explique pour l'essentiel à partir de la jeunesse provinciale de Cathos et de Magdelon ; la donnée de l'intrigue y trouve son fondement ; la

plupart des épisodes en sont la conséquence ; la crédulité et l'éblouissement des deux victimes devant le faux vicomte et le faux marquis sont par elles rendus vraisemblables. On pourrait objecter que le *Récit* de Mlle Desjardins ne mentionne pas cet élément primordial, et en effet le mot de «provinciales» n'y est pas prononcé. Cependant si la chose n'est pas dite expressément, elle est implicite ; elle ressort de la description qui est faite de l'*ancien Gaulois* et de son *air d'orateur Breton ;* par la suite, Clymène avoue qu'elles n'ont *pas encor* le bonheur de recevoir les auteurs à la mode, comme Magdelon regrette qu'elles ne soient *pas encore connues.* En définitive, dès la première représentation, les précieuses étaient bien des provinciales et c'est après coup que, sans égard à la logique et à la vraisemblance, sans texte à l'appui, on a prétendu le contraire pour orienter, avec des idées préconçues, la satire de Molière dans tel ou tel sens.

2. *LES PRÉCIEUSES RIDICULES* ET LES USAGES PRÉCIEUX

Y a-t-il déformation, exagération, caricature jusqu'au méconnaissable chez Molière ? Une comparaison de la pièce avec le récit des contemporains, ce que l'on peut savoir des usages précieux permettra de le mieux situer.

2.1. LA MODE

A. Les hommes

C'est avant tout l'habit qui fait le Précieux. La dignité masculine se juge sur la *perruque* (récemment mise à la mode par le duc de Montausier), les *canons* et les *rubans :*

L'extravagance des canons devient plus insupportable que jamais. On les porte d'une certaine toile blanche rayée, et on les fait d'une si horrible et si monstrueuse largeur qu'on en est tout à fait contraint et contrefait dans sa démarche. Cet embarras des jambes, joint à celui de la tête par la quantité de plumes que l'on porte sur le chapeau, est très fâcheux à qui n'y est pas accoutumé, car on en porte des bouquets à trois rangs ; et afin que tout aille avec excès (qui est l'humeur des Français), on chamarre les habits de dentelles de guipure qui coûtent fort chèrement. (Villiers, *Journal d'un voyage à Paris,* avril 1658.)

Les jeunes gens ne se bornaient pas à porter des trois cents aunes de rubans, de diverses couleurs, sur les chausses ; ils en portent autour de leur chapeau, et ils en parent leurs chevaux et les rideaux de leurs carrosses. (Abbé de Marolles, *Mémoires,* publiés en 1755.)

Si Mascarille se peigne en public, ce n'est pas une grossièreté de sa part comme nous en convaincra le texte de Charles Sorel cité en 2.2.

B. LES FEMMES

Et voici l'attirail féminin. Coiffures en pointe, petite canne, robes à crevés. N'oublions pas les mouches :

> Sur le front, c'est la *majestueuse*; au coin de l'œil, la *passionnée*; au milieu de la joue, la *galante*; sur le nez, l'*effrontée*; sur les lèvres, la *coquette*. (Abbé de Pure, *le Mystère des ruelles*, 1656-1658.)

Ni l'arsenal de toilette :

> Fer à friser, boîte à mouches, poudre de senteur, miroirs, masques, rubans, éventails, bracelets de cheveux, peignes de poche, bijoux, essences, opiates, gommes, pommades, tout un bric-à-brac encombre la toilette de la coquette. (Abbé d'Aubignac, *Relation véritable du royaume de coquetterie*, 1655.)

R. La Thuillère apporte des précisions :

> Les poudres et les parfums jouent, avec les fards, un rôle important. Noir pour dessiner les sourcils, pépins de coing macérés dans de l'eau pour gourmer, à moins qu'on n'utilise de la gomme arabique très diluée, alun, vermillon, céruse, opiate, corail en poudre, pâtes diverses, pommades, cheveux postiches, dents d'ivoire, poudre qui « blondine », pinces à épiler, tel est le nécessaire ordinaire de la coquette.

C'est à lui encore que nous devons ce texte d'un contemporain :

> Il faut avoir une boutique entière pour la farder; tant de céruse, de sublimé, de rouge d'Espagne, d'alun Zaccarin, de mie de pain, de vinaigre distillé, d'eau de fleurs, de fèves et de fiente de bœuf, d'amandes et d'autres semblables fatras embarrassent toute une chambre de mille bouets; autant de fioles et de vases peuvent remplir une maison, et tout cela ne sert que pour masquer une femme et la faire parêtre aux gens du monde vénale. [...] Je ne parle pas de ces lèvres colorées, ny de ces masques de qui les toiles sont ajustées pour le fard et qu'on porte dans le lit. [...] Je laisse encore ces mouches à part que l'on y porte à douzaines pour faire éclater ce teint qu'on emprunte de l'artifice : je croy qu'il y a bien davantage dans leurs cervelles qui sont pour la plupart estropiées.

L'abbé de Pure nous donne un autre détail pittoresque :

> Il est d'obligation d'avoir à présent deux jupes, l'une d'éclat, et l'autre de besoin. La première, à cause qu'elle est riche et

pompeuse, est dispensée de porter les couleurs ; elle est privi-
légiée ; il suffit qu'elle soit couverte d'or et d'argent, cela met
à couvert contre le reproche de l'inconstance, de l'indifférence
et de la couleur favorite. Mais le dessous est obligé à la loi,
si le gris de lin ou le vert règne, ou bien le bleu mourant, le
jaune ou l'isabelle, il faut que l'on en tienne compte aux yeux
de son inclination, et qu'il ait son rang parmi les ornements
et dans la parure. On a bien fait davantage ; on veut une
certaine nuance entre les couleurs, afin de ne rien porter qui
choque les yeux, ou qui puisse blesser le moindre regard. Si
bien que la belle jupe doit répondre aux souliers et à la chaus-
sure ; la jupe de dessous doit être assortie avec les rubans et
la garniture. Vous ne savez peut-être pas comment une Précieuse appelle ces deux jupes ? Elle appelle la jupe de dessus
la *friponne* ; et celle de dessous la *fidèle*, à cause que l'une
éblouit, et ne sert qu'à tromper les yeux des dupes, et que
l'autre porte les couleurs de l'amant et, pour ainsi dire, touche
du bout du doigt au point du parfait amour. » (Abbé de Pure,
le Mystère des ruelles, 1656-1658.)

2.2. LES RÉCEPTIONS

Tout Précieux est au courant des jours de réception, car ces
dames reçoivent à jour fixe :

On observe maintenant pour la commodité du public de cette
manière de rendez-vous. Un jour est pris par l'une, et l'autre
par l'autre ; de sorte que quiconque veut avoir une conversation
ou la rencontre d'une dame [...] n'a qu'à savoir un certain
calendrier de ruelle, et la liste de celles qui y ont séance,
et, sans se servir que de prétextes publics, aller rejoindre au
gré de ses désirs les personnes chéries. Cette invention fut
l'ouvrage d'une nymphe du siècle, qui, par le succès de son
dessein, donna grand progrès à cette mode. Depuis cela s'est
tourné en obligation, et depuis en nécessité. (Abbé de Pure,
le Mystère des ruelles, 1656-1658.)

Il nous reste à suivre nos Précieux, dans une ruelle du Marais,
par exemple :

Dès l'entrée, nous remarquons le marteau emmailloté, pour
que le bruit du heurtoir ne trouble pas, dit-on, la conversation.
La chambre est tenue parfois dans une demi-obscurité, favo-
rable à la beauté des dames et à la concentration de l'esprit.
Tableaux et miroirs garnissent les murs ; des sièges entourent
l'estrade dans l'alcôve, sur le lit se tient l'hôtesse. (R. Bray.)

Car ces dames reçoivent dans leur chambre, au premier étage
de leur hôtel :

Sur une estrade, trône le lit, isolé par un balustre ; la maîtresse
des lieux se tient couchée, ou assise au pied du lit ; une ruelle

est occupée par les domestiques, l'autre par les amies, siégeant selon leur importance sur des fauteuils, des chaises, des tabourets ou des carreaux; les cavaliers s'appuient à la balustrade ou s'asseyent par terre sur leur manteau. (R. Bray.)

Des règles précises commandent l'entrée au salon:

Après que vous serez assis et que vous aurez fait vos premiers compliments, il sera bienséant d'ôter le gant de votre main droite, et de tirer de votre poche un grand peigne de corne, dont les dents soient fort éloignées l'une de l'autre, et de peigner doucement vos cheveux, soit qu'ils soient naturels ou empruntés. (*Lois de la galanterie,* de Charles Sorel, publiées sous l'anonymat, 1644.)

2.3. LA CONVERSATION

C'est une des occupations favorites dans les salons. Charles Sorel suggère ici à qui veut faire l'habile:

Vous nommerez ordinairement tous les savants de Paris et direz qu'ils sont de votre connaissance, et qu'ils ne font point d'ouvrage qu'ils ne vous le communiquent, pour avoir votre approbation. (*Lois de la galanterie,* 1644.)

Pour montrer le crédit que l'on a parmi les gens d'esprit:

Il faut toujours avoir ses pochettes pleines de sonnets, épigrammes, madrigaux, élégies et autres vers, soit qu'ils soient satiriques ou sur un sujet d'amour. Par ce moyen, vous entretiendrez les compagnies aux dépens d'autrui, lorsque vous n'aurez pas de quoi payer de vous-même. (*Lois de la galanterie,* 1644.)

La discussion mènera loin, si l'une de ces questions galantes vient sur le tapis:

1. Si l'on doit haïr quelqu'un de ce qu'il nous plaît trop quand nous ne pouvons lui plaire.

2. S'il est plus doux d'aimer une personne dont le cœur est préoccupé qu'une autre dont le cœur est insensible.

3. Si le mérite d'être aimé doit récompenser le chagrin de ne l'être pas.

(Ces questions eurent le privilège d'être posées par Mme de Brégy au roi lui-même, d'après *les Lettres et poésies de la comtesse de Brégy,* 1666.)

Ou encore l'une des neuf formes des trois catégories du mariage:

Il y a les mariages par A, les mariages par C, les mariages par P. Par A, c'est-à-dire par Amour, Avarice ou Adresse, cette première espèce est toute mauvaise : malgré toute leur adresse, les plus fins y sont attrapés; l'avarice rend les riches méprisables; enfin, comme dit un proverbe italien, l'amour finit par la rage. Par C, ce sont les mariages par Considération,

Caprice ou Conscience; ils sont moins dangereux, mais encore bien incertains. Par P, par Prudence, par Précaution, par les Précieuses, ce sont les meilleurs : car la prudence assortit les biens, les humeurs, les esprits [...]. La précaution fait des miracles [...]. Mais le dernier de tous non seulement est agréable, il est encore utile et commode. Car enfin comme la Précieuse n'aime pas comme les autres, aussi ne se marie-t-elle pas comme le vulgaire. Elle s'élève en se soumettant : plus elle s'humilie, plus elle a de la fierté. (Abbé de Pure, *le Mystère des ruelles*, 1656-1658.)

Voici maintenant quelques longs extraits du *Roman bourgeois* de Furetière (1666) nous décrivant quelques phases d'une conversation de salon, portant d'ailleurs sur des problèmes littéraires.

Sitôt que les premiers compliments furent faits, dont les plus ingénues se tirent quelquefois assez bien, parce que cela ne consiste d'ordinaire qu'en une profonde révérence, et en un petit galimatias qu'on prononce si bas qu'on ne l'entend point, Hippolyte, qui n'aimait que les entretiens savants, éloigna bientôt ces discours communs qui se font dans les visites ordinaires. Elle se plaignit de Laurence, qui avait commencé à parler des nouvelles de la ville et du voisinage, lui disant que cela sentait sa visite d'accouchée, ou les discours de commères, et que parmi le beau monde il ne fallait parler que de livres et de belles choses. Aussitôt elle se jeta sur la friperie de plusieurs pauvres auteurs, qui sont les premiers qui ont à souffrir de ces fausses précieuses, quand cette humeur critique les saisit. Dieu sait donc si elle les ajusta de toutes pièces. [...] « Quoi qu'il en soit (reprit Hippolyte), je n'ai jamais pu concevoir comment on faisait ces gros volumes, avec une suite de tant d'intrigues et d'incidents : j'ai essayé mille fois de faire un roman, et n'en ai pu venir à bout; pour des madrigaux, des chansons, et d'autres petites pièces, on sait que je m'en escrime assez bien, et que j'en ferai tant qu'on en voudra.

— Voilà (dit Charroselles) un second moyen pour arriver promptement à la gloire, en ce malheureux siècle où on ne s'amuse qu'à la bagatelle. C'est tout ce qu'on estime et ce qu'on débite, pendant que les plus grands efforts d'esprit et les plus nobles travaux nous demeurent sur les bras.

— Vous êtes donc (dit Angélique) de l'opinion de ceux qui disent que le premier pas pour aller à la gloire est le madrigal, et le premier pour en déchoir est le grand poème ?

— Il y a grande apparence (ajouta Pancrace).

— Mais comment est-ce que si peu de chose pourrait mettre les gens en réputation ?

— Vous ne dites pas le meilleur (ajouta Laurence), c'est qu'il faut qu'ils soient mis en musique pour être bien estimés.

— Assurément (interrompit Charroselles) ; c'est pour cela que vous voyez tous ces petits poètes caresser Lambert, Le Camus, Boisset et les autres musiciens de réputation ; et qui ne mettent jamais en air que les vers de leurs favoris ; car autrement ils auraient fort à faire.

— On ne peut nier (dit Philalèthe) que cette invention ne soit bonne pour se mettre fort en vogue : car c'est un moyen pour faire chanter leurs vers par les plus belles bouches de la cour, et leur faire ensuite courir le monde. Outre que la beauté de l'air est une espèce de farce qui trompe et qui éblouit ; et j'ai vu estimer beaucoup de choses quand on les chantait, qui étaient sur le papier de purs galimatias, où il n'y avait ni raison ni finesse.

— Je les compare volontiers (reprit Charroselles) à des images mal enluminées, qui, étant couvertes d'un talc ou d'un verre, passent pour des tableaux dans un oratoire.

— Et moi (dit Pancrace) à un habit de droguet, enrichi de broderie par le caprice d'un seigneur. [...]

— J'ai un bon avis à vous donner (dit Laurence), vous n'avez qu'à en donner des pièces séparées aux faiseurs de Recueils : ils n'en laissent échapper aucune. Les belles pièces font valoir les mauvaises, comme la fausse monnaie passe à la faveur de la bonne qu'on y mêle.

— Je me suis déjà avisé de cette invention (répondit Charroselles avec un autre grand hélas !) ; mais elle ne m'a servi qu'une fois. Car il est vrai qu'après qu'on m'eut rebuté un livre entier, je le hachai en plusieurs petites pièces, épisodes et fragments, et ainsi je fis presque imprimer un volume de moi seul quoique sous le titre de Recueil de pièces de divers auteurs. Mais malheureusement le libraire découvrit la chose, et me fit des reproches de ce qu'il ne le pouvait débiter.

— Cela m'étonne (dit alors Philatèthe), car les recueils se vendaient bien autrefois ; il est vrai qu'ils sont maintenant un peu décriés, et ils ont en cela je ne sais quoi de commun avec le vin, qui ne vaut plus rien quand il est au-dessous de la barre, quoiqu'il fût excellent quand il était frais percé.

— A propos (reprit Hippolyte), ne trouvez-vous pas que ces recueils fournissent une occasion de se faire connaître bien facilement et à peu de frais ? Je vois beaucoup d'auteurs qui n'ont été connus que par là. Pour moi, j'ai quasi envie d'en faire de même ; je fournirai assez de madrigaux et de chansons pour faire imprimer mon nom, et le faire afficher s'il est besoin.

— Il semble (dit Angélique) qu'ils peuvent du moins servir à faire une tentative de réputation : car, si les pièces qu'on y

hasarde sont estimées, on en recueille la gloire en sûreté ; et si elles ne plaisent pas, on en est quitte pour les désavouer, ou pour dire qu'on vous les a dérobées, et qu'elles n'étaient pas faites à dessein de leur faire voir le jour. [...]

— Je suis bien heureuse (dit Hippolyte) qu'on estime en France davantage les petites pièces que les grandes, car pour des madrigaux, j'en ferai tant qu'on en voudra comme j'ai déjà dit : on n'a presque qu'à trouver des rimes et quelque petite douceur, et on est quitte ; au lieu qu'il est bien difficile de trouver des pointes pour faire des épigrammes, et des vers pompeux pour faire des sonnets.

— Ce n'est pas tout (ajouta Charroselles) que de faire de petites pièces ; il faut pour les faire bien courir, que ce soient pièces du temps, c'est-à-dire à la mode, de sorte que ce sont tantôt sonnets, rondeaux, portraits, énigmes, métamorphoses, tantôt triolets, ballades, chansons, et jusqu'à des bouts-rimés. Encore, pour les faire courir plus vite, il faut choisir le sujet, et que ce soit sur la mort d'un petit chien ou d'un perroquet, ou de quelques autres grandes aventures arrivées dans le monde galant et poétique.

— Quant à moi (reprit Hippolyte), j'aime surtout les bouts-rimés, parce que ce sont le plus souvent des impromptus, ce que j'estime la plus certaine marque de l'esprit d'un homme.

— Vous n'êtes pas seule de votre avis (dit Angélique) ; j'ai vu plusieurs femmes tellement infatuées de cette sorte de galanterie d'impromptu, qu'elles les préféraient aux ouvrages les plus accomplis et aux plus belles méditations.

— Je ne suis pas de l'avis de ces dames (reprit brusquement Charroselles, dont l'humeur a été toujours peu civile et peu complaisante), et je ne trouve point de plus grande marque de réprobation à l'égard du jugement que d'aimer ces sortes de choses : car ceux qui y réussissent le mieux, ce sont les personnes gaies et bouffonnes, et même les fous achevés font quelquefois d'heureuses rencontres, au lieu que la vraie estime se doit donner aux ouvrages travaillés avec mûre délibération, où l'art se mêle avec le génie. Ce n'est pas que les gens d'esprit ne puissent faire quelquefois sur-le-champ quelques gaillardises, mais il faut qu'ils en usent avec grande discrétion, car autrement ils se hasardent souvent à dire de grandes sottises, comme font tous ces faiseurs d'impromptu et gens de réputation subite.

— Ajoutez à cela (dit Philalèthe) qu'on ne débite point de marchandise, où il y ait plus de tromperie : car comme dans les académies de jeu on pippe souvent avec de faux dés et de fausses cartes, de même dans les réduits académiques on

pippe souvent l'impromptu, et il y en a tel qu'on prend pour un nouveau-né qui pourrait passer pour vieux et barbon.

— Cela est vrai (ajouta Pancrace), car j'ai connu un certain folâtre qui a fait assez de bruit dans le monde, qui avait toujours des impromptus de poche, et qui en avait de préparés, sur tant de sujets, qu'il en avait fait de gros lieux communs. Il menait avec lui d'ordinaire un homme de son intelligence, avec l'aide duquel il faisait tourner la conversation sur divers sujets, et il faisait tomber les gens en certains défilés, où il avait mis quelque impromptu en embuscade, où ce galant tirait son coup et défaisait le plus hardi champion d'esprit, non sans grande surprise de l'assemblée. Avec la même invention, il se faisait donner publiquement par son camarade des bouts-rimés sur lesquels, à quelques moments de là, il rapportait un sonnet qu'il donnait pour être fait sur-le-champ, et qu'il avait fait chez lui en toute liberté et à loisir. Il est vrai qu'il lui arriva un jour un petit esclandre : c'est qu'une dame qui avait découvert la chose par l'infidélité de son associé, et qui connaissait d'ailleurs l'humeur du personnage et la portée de son esprit, lui dit lorsqu'il lui mit en main un sonnet dont il voulait faire admirer la promptitude : Vous me le pouviez donner encore en moins de temps, ou vous êtes bien long à écrire.

— Je suis bien aise d'apprendre (dit Laurence) les faussetés qui s'y commettent, car quand on m'en donnera je voudrai avoir de bons certificats de gens de bien et d'honneur pour attester, qu'ils ont été faits en leur présence, et qu'il n'y sera arrivé ni fraude ni mal engin.

— Quant à moi (reprit Angélique), je n'ai jamais voulu donner mon approbation à ces sortes de pièces, car ce serait donner de la réputation à bon marché ; je la réserve pour les ouvrages polis et sérieux, et particulièrement pour le sonnet, qui est (comme dit un de mes bons amis) le chef-d'œuvre de la poésie et le plus noble de tous les poèmes. »

Un extrait de *la Princesse de Clèves* (première partie), publiée en 1678, convaincra qu'il ne s'agit pas là d'une occupation ridicule *a priori* :

« L'on dispute contre M. de Nemours, madame, répondit-il ; et il défend avec tant de chaleur la cause qu'il soutient qu'il faut que ce soit la sienne. Je crois qu'il a quelque maîtresse qui lui donne de l'inquiétude quand elle est au bal, tant il trouve que c'est une chose fâcheuse, pour un amant, que d'y voir la personne qu'il aime.

— Comment ! reprit Mme la Dauphine, M. de Nemours ne veut pas que sa maîtresse aille au bal ? J'avais bien cru que les maris pouvaient souhaiter que leurs femmes n'y allassent

pas ; mais, pour les amants, je n'avais jamais pensé qu'ils pussent être de ce sentiment.

— M. de Nemours trouve, répliqua le prince de Condé, que le bal est ce qu'il y a de plus insupportable pour les amants, soit qu'ils soient aimés ou qu'ils ne le soient pas. Il dit que, s'ils sont aimés, ils ont le chagrin de l'être moins pendant plusieurs jours ; qu'il n'y a point de femme que le soin de sa parure n'empêche de songer à son amant ; qu'elles en sont entièrement occupées ; que ce soin de se parer est pour tout le monde aussi bien que pour celui qu'elles aiment ; que, lorsqu'elles sont au bal, elles veulent plaire à tous ceux qui les regardent ; que, quand elles sont contentes de leur beauté, elles en ont une joie dont leur amant ne fait pas la plus grande partie. Il dit aussi que, quand on n'est point aimé, on souffre encore davantage de voir sa maîtresse dans une assemblée ; que, plus elle est admirée du public, plus on se trouve malheureux de n'en être point aimé ; que l'on craint toujours que sa beauté ne fasse naître quelque amour plus heureux que le sien. Enfin il trouve qu'il n'y a point de souffrance pareille à celle de voir sa maîtresse au bal, si ce n'est de savoir qu'elle y est et de n'y être pas. »

2.4. LES JEUX DE SALON

Tout d'abord, des jeux poétiques :

Il est en effet nécessaire d'être poète. Sonnets, épigrammes ou madrigaux n'ont pas de secret pour le Précieux. Il fait son bonheur d'une épigramme comme celle-ci :

> Je mourrai de trop de désir
> Si je la trouve inexorable ;
> Je mourrai de trop de plaisir
> Si je la trouve favorable.
> Ainsi je ne saurais guérir
> De la douleur qui me possède ;
> Je suis assuré de périr
> Par le mal ou par le remède.

(Benserade, *Œuvres* publiées en 1692.)

Ou d'un madrigal tel que celui-ci :

> Philis s'est rendue à ma foi.
> Qu'eût-elle fait pour sa défense ?
> Nous n'étions que nous trois : elle, l'Amour et moi,
> Et l'Amour fut d'intelligence.

(Cotin, *Œuvres mêlées*, 1659.)

Pellisson nous laissa ce récit de la « Journée des Madrigaux » (samedi 20 décembre 1653).

Nos héros et nos héroïnes [le cercle de Mlle de Scudéry] ne s'attachèrent qu'aux madrigaux ; jamais il n'en fut tant fait ni si promptement. A peine celui-ci venait-il d'en prononcer un que celui-là en sentait un autre qui lui fourmillait dans la tête. Ici on récitait quatre vers, là on en écrivait douze. Tout s'y faisait gaiement et sans grimace. Personne n'en rongeait ses ongles et n'en perdait le rire ni le parler. Ce n'était que défis, que réponses, que répliques, qu'attaques, que ripostes. La plume passait de main en main, et la main ne pouvait suffire à l'esprit.

Voici un sonnet-énigme dont la clef n'est pas trop difficile à trouver :

Mon corps est sans couleur comme celui des eaux
Et selon la rencontre, il change de figure ;
Je fais plus d'un seul trait que toute la peinture
Et puis mieux qu'un Apelle animer mes tableaux.
Je donne des conseils aux esprits les plus beaux
Et ne leur montre rien que la vérité pure ;
J'enseigne sans parler autant que le jour dure,
Et la nuit on me vient consulter aux flambeaux.
Parmi les curieux j'établis mon empire,
Je représente aux rois ce qu'on n'ose leur dire,
Et je ne puis flatter ni mentir à la cour.
Comme un autre Pâris je juge les déesses,
Qui m'offrent leurs beautés, leurs grâces, leurs richesses
Et j'augmente souvent les charmes de l'amour.

(Cotin, *Recueil des énigmes de ce temps,* 1646-1655.)

Chacun, selon son talent particulier, peut s'exercer à d'autres genres : métamorphoses, portraits, bouts-rimés, etc. Peut-être aurez-vous la chance de participer à une compétition poétique. Le moindre événement appelle l'inspiration. Mme du Plessis venait de perdre son perroquet : vingt-cinq sonnets différents, bâtis sur les mêmes bizarres rimes, en naquirent. En voici un :

Fît-on profession de guerre ou de...	chicane,
Fût-on bien revêtu de robe ou de...	capot,
N'eût-on bu que chopine ou bien tout plein un...	pot,
Fût-on Pape, Archevêque, ou bien simple...	soutane,
Eût-on l'entendement brillant et...	diaphane,
Ou noir et ténébreux comme un mur de...	tripot,
Sût-on cabrioler et danser la...	Chabot,
Fût-on prudent ou sot, catholique ou...	profane,
Eût-on des louis d'or plein un grand...	coquemar,
Fût-on plus élevé que n'est un...	jacquemart
Au clocher de Saint-Jean, Saint-Pierre ou Sainte...	Barbe,
Il faut tous succomber sous le mortel...	débris,

Puisque ce perroquet qui valait mieux qu'un...   barbe
N'a pu s'en exempter près d'un riche...   lambris.
(Loret, dans le *Recueil Sercy,* publié en cinq parties de 1653 à 1660.)

Mais à aucun connaisseur n'échappe le langage des sourires :
Il y a celui de l'*œil gracieux,* qui consiste en certains regards
détachés pour reconnaître plutôt que pour donner, qui forment
un cercle autour de l'œil, pour en adoucir le regard ou pour
en rendre l'éclat plus familier. Il y a celui de *faux semblant,*
qui est un artifice naturel, par lequel la machine du visage en
change absolument la disposition [...]. On y pourrait ajouter
celui de la *dent blanche,* qui est une pure complaisance que la
foi rend à la vanité pour exposer aux yeux du monde ce trésor
que la nature a caché, et pour montrer ces perles que la modestie tient comme prisonnières dans la bouche si le rire ne leur
rend pas la liberté et ne les fait paraître, au lieu que le silence
les pourrait retenir dans une éternelle obscurité. Il y a encore
le *sourire dédaigneux,* qui n'est autre chose qu'un bouillon
d'orgueil, qui, se trouvant très bien accueilli dans une âme, ne
paraît que par forme sur le visage et ne fait que passer. (Abbé
de Pure, *le Mystère des ruelles,* 1656-1658.)
Pour se détendre, il faut savoir s'amuser. Au jeu du cœur volé,
par exemple :
Un cavalier se plaint subitement d'avoir perdu son cœur ; on
fait une enquête ; qui est le voleur ? Le volé désigne une dame
de la compagnie, à qui tous aussitôt reprochent sa cruauté.
« Quoi, Madame ! vous dérobez le cœur d'un homme, et bientôt après, avec le larcin, vous allez joindre l'homicide ! Car
n'allez-vous pas priver de vie celui qui ne peut vivre sans
cœur ? » Chacun varie ses reproches sur ce thème ; la dame
doit répliquer ; si elle s'embarrasse, elle doit donner un gage ;
si elle a assez d'aplomb, elle peut nier les forfaits qu'on lui
reproche, inventer une histoire qui fera retomber l'accusation
sur une autre dame. Et le jeu continuera. (R. Bray.)
A la limite de la conversation — qu'elles alimentent — et du jeu,
voici les définitions.

Si l'on n'est pas trop sûr de soi, le *Grand Dictionnaire des Précieuses,* que vous trouverez en librairie à partir de 1661, pourra
vous être utile.
Cueillez, au fil de l'alphabet, quelques définitions :
A. *Astres :* les pères de la fortune et des inclinations.
B. *Boutique.* La boutique des libraires : le cimetière des vivants
et des morts.
C. *Chaise.* Des porteurs de chaise : des mulets baptisés.
D. *Dîner.* Nous allons dîner : nous allons prendre les néces-
sités méridionales, ou : nous allons donner à la nature son
tribut accoutumé.

E. *Eau.* Un verre d'eau : un bain intérieur.

F. *Femme.* Cette femme est jeune : cette femme a des absences de raison.

G. *Galante.* Etre galante : être de la petite vertu.

H. *Heurter.* On heurte à la porte : on fait parler le muet. Le heurtoir : le muet.

I. *Idée.* Les choses que vous m'avez dites me donnent une idée ridicule : me font une vision ridicule.

J. *Joues :* les trônes de la pudeur.

K. Les Précieuses, qui ne veulent pas que l'on connaisse rien à leur K, l'ont ôté de leur alphabet.

L. *Lèvres :* les maîtres muets.

N. *Nez :* la porte du cerveau, ou les écluses du cerveau.

O. *Oreilles :* les portes de l'entendement.

P. *Le pot de chambre :* l'urinal virginal.

Q. *Quadran :* le mémoire des heures et la mémoire du jour.

R. *Rire.* Cela me fait rire : cela excite en moi le naturel de l'homme.

S. *Soupirs :* les enfants de l'air.

T. *Temps :* l'immortel ou le père des années.

V. *Vent.* Le vent n'a point défrisé vos cheveux : l'invisible n'a point gâté l'économie de votre tête.

Y. *Yeux :* les miroirs de l'âme.

Z. *Zéphyr :* l'amant des fleurs.

(Somaize, *Grand Dictionnaire des Précieuses*, 1660.)

3. LES PRÉCIEUX
ET *LES PRÉCIEUSES RIDICULES*

3.1. LA CARTE DU TENDRE

C'est une référence. Mlle de Scudéry nous guide au pays du Tendre (*Clélie*, tome premier, 1655) :

> Vous vous souvenez sans doute bien, madame, qu'Herminius avait prié Clélie de lui enseigner par où l'on pouvait aller de Nouvelle-Amitié à Tendre, de sorte qu'il faut commencer par cette première ville qui est au bas de cette carte pour aller aux autres ; car, afin que vous compreniez mieux le dessein de Clélie, vous verrez qu'elle a imaginé qu'on pouvait avoir de la tendresse par trois causes différentes : ou par une grande estime, ou par reconnaissance, ou par inclination ; et c'est ce qui l'a obligée à établir ces trois villes de Tendre sur trois rivières qui portent ces trois noms et de faire aussi trois routes différentes pour y aller. Si bien que, comme on dit Cumes sur la mer d'Ionie et Cumes sur la mer Tyrrhène, elle fait qu'on dit

Tendre-sur-Inclination, Tendre-sur-Estime et Tendre-sur-Reconnaissance. Cependant comme elle a présupposé que la tendresse qui naît par inclination n'a besoin de rien autre chose pour être ce qu'elle est, Clélie, comme vous le voyez, madame, n'a mis nul village le long des bords de cette rivière qui va si vite qu'on n'a que faire de logement le long de ses rives pour aller de Nouvelle-Amitié à Tendre. Mais, pour aller à Tendre-sur-Estime, il n'en est pas de même, car Clélie a ingénieusement mis autant de villages qu'il y a de petites et de grandes choses qui peùvent contribuer à faire naître par estime cette tendresse dont elle entend parler. En effet vous voyez que de Nouvelle-Amitié on passe à un lieu qu'on appelle Grand Esprit, parce que c'est ce qui commence ordinairement l'estime ; ensuite vous voyez ces agréables villages de Jolis Vers, de Billet galant et de Billet doux, qui sont les opérations les plus ordinaires du grand esprit dans les commencements d'une amitié. Ensuite, pour faire un plus grand progrès dans cette route, vous voyez Sincérité, Grand Cœur, Probité, Générosité, Respect, Exactitude et Bonté, qui est tout contre Tendre, pour faire connaître qu'il ne peut y avoir de véritable estime sans bonté et qu'on ne peut arriver à Tendre de ce côté-là sans avoir cette précieuse qualité. Après cela, madame, il faut, s'il vous plaît, retourner à Nouvelle-Amitié pour voir par quelle route on va de là à Tendre-sur-Reconnaissance. Voyez donc, je vous en prie, comment il faut aller d'abord de Nouvelle-Amitié à Complaisance ; ensuite à ce petit village qui se nomme Soumission et qui touche un autre fort agréable qui s'appelle Petits Soins. Voyez, dis-je, que de là il faut passer par Assiduité, pour faire entendre que ce n'est pas assez d'avoir durant quelques jours tous ces petits soins obligeants qui donnent tant de reconnaissance, si on ne les a assidûment. Ensuite vous voyez qu'il faut passer à un autre village qui s'appelle Empressement et ne faire pas comme certaines gens tranquilles qui ne se hâtent pas d'un moment, quelque prière qu'on leur fasse et qui sont incapables d'avoir cet empressement qui oblige quelquefois si fort. Après cela vous voyez qu'il faut passer à Grands Services et que, pour marquer qu'il y a peu de gens qui en rendent de tels, ce village est plus petit que les autres. Ensuite il faut passer à Sensibilité, pour faire connaître qu'il faut sentir jusqu'aux plus petites douleurs de ceux qu'on aime. Après il faut, pour arriver à Tendre, passer par Tendresse, car l'amitié attire l'amitié. Ensuite il faut aller à Obéissance, n'y ayant presque rien qui engage plus le cœur de ceux à qui on obéit que de le faire aveuglément ; et, pour arriver enfin où l'on veut aller, il faut passer à Constante Amitié, qui est sans doute le chemin le plus sûr pour arriver à Tendre-sur-Reconnaissance. Mais, madame, comme il n'y a point de chemins où l'on ne se puisse égarer,

Clélie a fait, comme vous le pouvez voir, que si ceux qui sont à Nouvelle-Amitié prenaient un peu plus à droite ou un peu plus à gauche, ils s'égareraient aussitôt ; car, si au partir de Grand Esprit, on allait à Négligence que vous voyez tout contre sur cette carte, qu'ensuite continuant cet égarement on aille à Inégalité ; de là à Tiédeur, à Légèreté et à Oubli, au lieu de se trouver à Tendre-sur-Estime on se trouverait au lac d'Indifférence que vous voyez marqué sur cette carte et qui, par ses eaux tranquilles, représente sans doute fort juste la chose dont il porte le nom en cet endroit. De l'autre côté, si, au partir de Nouvelle-Amitié, on prenait un peu trop à gauche et qu'on allât à Indiscrétion, à Perfidie, à Orgueil, à Médisance ou à Méchanceté, au lieu de se trouver à Tendre-sur-Reconnaissance, on se trouverait à la mer d'Inimitié où tous les vaisseaux font naufrage et qui, par l'agitation de ses vagues, convient sans doute fort juste avec cette impétueuse passion que Clélie veut représenter. Ainsi elle fait voir par ces routes différentes qu'il faut avoir mille bonnes qualités pour l'obliger à avoir une amitié tendre et que ceux qui en ont de mauvaises ne peuvent avoir part qu'à sa haine ou à son indifférence. Aussi cette sage fille voulant faire connaître sur cette carte qu'elle n'avait jamais eu d'amour et qu'elle n'aurait jamais dans le cœur que de la tendresse, fait que la rivière d'Inclination se jette dans une mer qu'on appelle la Mer dangereuse, parce qu'il est assez dangereux à une femme d'aller un peu au delà des dernières bornes de l'amitié ; et elle fait ensuite qu'au delà de cette Mer, c'est ce que nous appelons *Terres inconnues,* parce qu'en effet nous ne savons point ce qu'il y a et que nous ne croyons pas que personne ait été plus loin qu'Hercule ; de sorte que de cette façon elle a trouvé lieu de faire une agréable morale d'amitié par un simple jeu de son esprit, et de faire entendre d'une manière assez particulière qu'elle n'a point eu d'amour et qu'elle n'en peut avoir. Aussi Aronce, Herminius et moi trouvâmes-nous cette carte si galante que nous la sûmes devant que de nous séparer. Clélie priait pourtant instamment celui pour qui elle l'avait faite de ne la montrer qu'à cinq ou six personnes qu'elle aimait assez pour la leur faire voir, car, comme ce n'était qu'un simple enjouement de son esprit, elle ne voulait pas que de sottes gens, qui ne sauraient pas le commencement de la chose, et qui ne seraient pas capables d'entendre certaine nouvelle galanterie, allassent en parler selon leur caprice ou la grossièreté de leur esprit. Elle ne put pourtant être obéie, parce qu'il y eut une certaine constellation qui fit que, quoiqu'on ne voulût montrer cette carte qu'à peu de personnes, elle fit pourtant un si grand bruit par le monde qu'on ne parlait que de la carte de Tendre.

Tout ce qu'il y avait de gens d'esprit à Capoue écrivirent quelque chose à la louange de cette carte soit en vers, soit en prose, car elle servit de sujet à un poème fort ingénieux, à d'autres vers fort galants, à de fort belles lettres, à de fort agréables billets et à des conversations si divertissantes que Clélie soutenait qu'elles valaient mille fois mieux que sa carte, et l'on ne voyait alors personne à qui l'on ne demandât s'il voulait aller à Tendre. En effet cela fournit durant quelque temps d'un si agréable sujet de s'entretenir qu'il n'y eut jamais rien de plus divertissant. Au commencement Clélie fut bien fâchée qu'on en parlât tant, car enfin, disait-elle un jour à Herminius, pensez-vous que je trouve bon qu'une bagatelle que j'ai pensé qui avait quelque chose de plaisant pour notre cabale en particulier, devienne publique, et que ce que j'ai fait pour n'être vu que de cinq ou six personnes qui ont infiniment de l'esprit, qui l'ont délicat et connaissant, soit vu de deux mille qui n'en ont guère, qui l'ont mal tourné et peu éclairé, et qui entendent fort mal les plus belles choses ? Je sais bien, poursuivit-elle, que ceux qui savent que cela a commencé par une conversation qui m'a donné lieu d'imaginer cette carte en un instant ne trouveront pas cette galanterie chimérique ni extravagante ; mais, comme il y a de fort étranges gens par le monde, j'appréhende extrêmement qu'il n'y en ait qui s'imaginent que j'ai pensé à cela fort sérieusement, que j'ai rêvé plusieurs jours sans le chercher et que je croyais avoir fait une chose admirable. Cependant c'est une folie d'un moment, que je ne regarde tout au plus que comme une bagatelle qui a peut-être quelque galanterie et quelque nouveauté pour ceux qui ont l'esprit assez bien tourné pour l'entendre. Clélie n'avait pourtant pas raison de s'inquiéter, madame, car il est certain que tout le monde prit tout à fait bien cette nouvelle invention de faire savoir par où l'on peut acquérir la tendresse d'une honnête personne et qu'à la réserve de quelques gens grossiers, stupides, malicieux ou mauvais plaisants, dont l'approbation était indifférente à Clélie, on en parle avec louange ; encore tira-t-on même quelque divertissement de la sottise de ces gens-là, car il y eut un homme entre les autres qui, après avoir vu cette carte qu'il avait demandé à voir avec une opiniâtreté étrange, et après l'avoir entendu louer à de plus honnêtes gens que lui, demanda grossièrement à quoi cela servait et de quelle utilité était cette carte. Je ne sais pas, lui répliqua celui à qui il parlait, après l'avoir repliée fort diligemment, si elle servira à quelqu'un, mais je sais bien qu'elle ne vous conduira jamais à Tendre. Ainsi, madame, le destin de cette carte fut si heureux que ceux mêmes qui furent assez stupides pour ne l'entendre point servirent à nous divertir, en nous donnant sujet de nous moquer de leurs sottises.

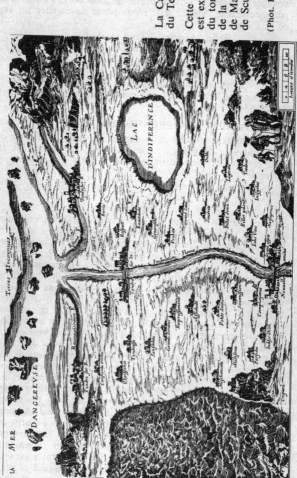

La Carte
du Tendre.

Cette gravure
est extraite
du tome premier
de la *Clélie*
de Mademoiselle
de Scudéry.

(Phot. B. N. Imp.)

Tout connaisseur aussi est au courant de tel événement littéraire, est au mieux avec les personnes qui se cachent sous les pseudonymes du *Grand Cyrus,* sait à quel épisode en est la *Clélie.* Enfin, être amoureux d'une précieuse, c'est savoir voyager au pays du Tendre, briller de mille feux, s'armer d'une patience infinie. Mais quelle récompense de mériter un aveu de la sorte :

> Enfin, Acante, il faut se rendre,
> Votre esprit a charmé le mien.
> Je vous fais citoyen de Tendre,
> Mais, de grâce, n'en dites rien.
>
> (*Soumission de Sapho à Pellisson,*

au bout de deux ans de correspondance sentimentale, 1652-1654.)

3.2. LES PRÉCIEUX SE DÉFENDENT

Voici deux textes de Somaize sur *les Précieuses ridicules* que l'on analysera du point de vue du ton et des arguments. (La note est de G. Mongrédien, éditeur du texte que nous reproduisons.)

◆ 7 janvier 1660.

PRÉFACE

Depuis que la modestie et l'insolence sont deux contraires, on ne les a jamais vues mieux unies qu'a fait dans sa préface l'auteur prétendu des *Précieuses ridicules,* car, si nous examinons ses paroles, il semble qu'il soit asez modeste pour craindre de faire mettre son nom sous la presse ; cependant il cache sous cette fausse vertu tout ce que l'insolence a de plus effronté et met sur le théâtre une satire qui, quoique sous des images grotesques, ne laisse pas de blesser tous ceux qu'il a voulu accuser ; il fait plus de critique, il s'érige en juge et condamne à la berne les singes, sans voir qu'il prononce un arrêt contre lui en le prononçant contre eux, puisqu'il est certain qu'il est singe en tout ce qu'il fait et que non seulement il a copié *les Précieuses* de M. l'abbé de Pure jouées par les Italiens, mais encore qu'il a imité par une singerie dont il est seul capable *le Médecin volant* et plusieurs autres pièces des mêmes Italiens, qu'il n'imite pas seulement en ce qu'ils ont joué sur leur théâtre, mais encore en leurs postures, contrefaisant sans cesse sur le sien et Trivelin et Scaramouche ; mais qu'attendre d'un homme qui tire toute sa gloire des Mémoires de Guillot-Gorju qu'il a achetés de sa veuve et dont il s'adopte tous les ouvrages ? Mais c'est assez parler des *Précieuses ridicules;* il est temps de dire un mot des vraies, et tout ce que j'en dirai, c'est seulement que je leur ai donné ce nom, parce qu'elles parlent véritablement le langage qu'on attribue aux Précieuses, et que je

n'ai pas prétendu par ce titre parler de ces personnes Illustres qui sont trop au-dessus de la satire pour faire soupçonner que l'on ait dessein de les y insérer. J'ai encore eu d'autres raisons de les nommer ainsi qui, n'étant connues de personne, ne sauraient être condamnées ; que si on m'accuse de condamner la satire et pourtant d'en composer, je ne m'en défendrai pas ici, puisqu'elle est toujours permise contre ceux qui font profession de s'exposer en public.

Scène vii.

Le poète. — Pour ce qui est des *Précieuses,* comme ce n'est qu'un ouvrage en prose, je vous en dirai mon sentiment en peu de mots. Premièrement, il faut que vous sachiez qu'elle est plus âgée de trois ans qu'on ne pense, et que dès ce temps-là les comédiens italiens y gagnèrent dix mille écus, et cela sans faire courre le billet, comme les Bourbonnais en ont amené la coutume.

Le baron. — Le bruit commun m'a déjà donné quelque légère connaissance de cela, mais Mascarille pourtant soutient n'avoir imité en rien celle des Italiens.

Le poète. — Ah ! que dites-vous là ? C'est la même chose, ce sont deux valets tout de même qui se déguisent pour plaire à deux femmes, et que leurs maîtres battent à la fin ; il y a seulement cette petite différence que, dans la première, les valets le font à l'insu de leurs maîtres, que dans la dernière, ce sont eux qui leur font faire. Je ne pus m'empêcher de lui en dire mon sentiment chez un marquis de mes amis qui loge au quartier du Louvre où il la lut avec son *Dom Garcie,* avant que l'on la jouât.

Préface[1].

L'usage des préfaces m'a semblé si utile à ceux qui mettent quelque chose en public qu'encore que je sache qu'il n'est pas généralement approuvé, je n'ai pourtant pu m'empêcher de le suivre, résolu, quoi qu'il arrive, de prendre pour garant de ce que je fais la coutume qui les a jusqu'ici autorisées.

Ce n'est pas que je veuille suivre celle de ces auteurs avides de louanges qui, craignant qu'on ne leur rende pas tout l'honneur qu'ils croient mériter, y insèrent eux-mêmes leurs panégyriques et font souvent leurs apologies avant qu'on les accuse. Mon but est de divertir le lecteur et de me divertir moi-même.

---

1. Somaize fait ici la critique de la *Préface* mise par Molière en tête des *Précieuses ridicules,* dont l'édition originale ne paraîtra que trois semaines plus tard, le 29 janvier. C'est certainement par l'intermédiaire de son complice, le libraire Jean Ribou, qu'il a pu en obtenir le texte avant sa publication.

Toutefois, comme il s'en peut trouver d'assez scrupuleux pour croire que c'est trop hasarder d'exposer aux yeux de tout le monde un ouvrage aussi rempli de défauts que celui-ci, sans leur donner du moins quelques apparentes excuses, je veux bien en cet endroit dire quelque chose pour le contenter.

Je dirai d'abord qu'il semblera extraordinaire qu'après avoir loué Mascarille comme j'ai fait dans les *Véritables Précieuses,* je me sois donné la peine de mettre en vers un ouvrage dont il se dit l'auteur et qui sans doute lui doit quelque chose, si ce n'est pas qu'il y a ajouté de son estoc au vol qu'il en a fait aux Italiens, à qui M. l'abbé de Pure les avait donnés, du moins pour y avoir ajouté beaucoup par son jeu, qui a plu à assez de gens pour lui donner la vanité d'être le premier Farceur de France. C'est toujours quelque chose d'excellent en quelque métier que ce soit et, pour parler selon le vulgaire, il vaut mieux être le premier d'un village que le dernier d'une ville, bon farceur que méchant comédien ; mais quittons la parenthèse et retournons aux *Précieuses.* Elles ont été trop généralement reçues et approuvées pour ne pas avouer que j'y ai pris plaisir et qu'elles n'ont rien perdu en français de ce qui les fit suivre en italien ; et ce serait faire le modeste à contre-temps de ne pas dire que je crois ne leur avoir rien dérobé de leurs agréments en les mettant en vers ; même, si j'en voulais croire ceux qui les ont vues, je me vanterais d'y avoir beaucoup ajouté ; mais, quand je le dirais, l'on ne serait pas obligé de s'en rapporter à moi, et quand mon lecteur me donnerait un démenti, il serait de ceux qui se souffrent sans peine et qui ne coûtent jamais de sang. Aussi ne veux-je pas les louer et, bien loin de le faire, je dis ingénument que ce n'est en bien des endroits que de la prose rimée, qu'on y trouvera plusieurs vers sans repos et dont la cadence est fort rude, mais le lecteur verra aisément que ce n'est qu'aux endroits où j'ai voulu conserver mot à mot le sens de la prose, et lorsque je les ai trouvés tout faits. L'on y verra encore des vers dont le sens est lié et qui sont enchaînés les uns avec les autres comme de pauvres forçats, et d'autres encore dont les rimes n'ont pas toute la richesse qu'on leur pouvait donner ; je n'en donnerai pourtant point d'excuse, ne croyant pas être obligé de suivre dans une comédie comme celle-ci une règle que les meilleures plumes n'observent pas dans leurs ouvrages les plus sérieux ; enfin je ne dirai rien des *Précieuses* en vers qui puisse exiger de ceux qui les verront une bonté forcée ; je ne veux rien que le plaisir du lecteur et serais bien fâché d'ôter le moyen de critiquer à ceux qui se plaisent à le faire. Ainsi, quoiqu'il me fût aisé de dire bien des choses pour justifier mes défauts et que je n'eusse qu'à m'étendre sur la difficulté qu'il y a de mettre en vers mot à mot une prose aussi bizarre que celle que j'ai eu à tourner, que je

pusse facilement faire voir que tout le plaisant des *Précieuses* consiste presque en des mots aussi contraires à la douceur des vers que nécessaires aux agréments de cette comédie, je laisse pourtant toutes ces choses pour laisser le lecteur en liberté et je proteste ici que la critique ne m'épouvante point et que je serais fort marri de dire le moindre mot pour l'éviter ; et non seulement je la souffre pour cette version, mais je consens que l'on s'en serve encore à l'égard du *Procès des précieuses,* qui est de mon invention pure et qui, si tout le monde est de mon sentiment, divertira fort ; au moins ne l'ai-je fait que dans cette pensée...

3.3. LE PROBLÈME DES CLEFS

Étant donné la polémique qu'entraînera la pièce, il était fatal que les spectateurs et les lecteurs du temps aient cherché qui pouvait bien être visé derrière Cathos et Magdelon. Depuis lors, ce problème a rebondi plusieurs fois.

◆   On a pensé d'abord à Mme de Rambouillet. R. La Thuillère rappelle le texte de Ménage qui a pu prêter à cette interprétation et donne son opinion dans ces lignes (*la Préciosité,* V, III, 4) :

> L'on ne comprend pas pourquoi elle aurait fourni, avec ses amis, un prétexte aux attaques de Molière qui débutait à Paris. Il n'y a rien dans l'image qu'on se faisait d'elle, dans ses goûts, ses préoccupations, l'atmosphère qu'elle savait créer autour d'elle, qui puisse se rapprocher si peu que ce soit des sottes prétentions de Cathos et Magdelon. Elle était de manière indiscutable l'incomparable, la divine, l'illustre Arthénice et il ne serait venu à l'idée de personne de la ridiculiser. Les feux de l'actualité s'étaient depuis longtemps écartés d'elle ; les deuils successifs, l'éloignement du duc de Montausier et de Julie dans leur gouvernement de Saintonge, la Fronde enfin ont privé son salon de la plupart de ses hôtes de marque ; seuls lui restent quelques fidèles comme Conrart, Godeau, Ménage, Chapelain. Molière, pour trouver un sujet brûlant, ou tout simplement piquant, devait tourner ailleurs ses regards.

◆   Selon Tallemant des Réaux, Angélique Clarisse d'Angennes, la plus jeune des filles de Mme de Rambouillet aurait été « un des originaux des *Précieuses* ». Si l'hypothèse est séduisante par certains côtés, R. La Thuillère l'écarte pourtant :

> Il est donc certain que, par ses manières, ses affectations, son langage, son attitude devant certaines questions comme le mariage, elle pouvait à juste titre être appelée précieuse ; les griefs qu'on formulait contre les femmes qu'on qualifiait de la sorte pouvaient être repris contre elle. Mais a-t-on le droit d'en conclure que Molière pensait à elle en écrivant sa pièce,

ou même donnait clairement à entendre aux spectateurs qu'à travers Cathos et Magdelon, c'est elle qu'ils devaient deviner ? L'hypothèse est séduisante, et elle a été reprise par M. Adam, mais elle n'est qu'une hypothèse qu'aucun texte ne vient confirmer. Si elle était exacte, on attendrait quelque animosité de la victime à l'égard de son censeur. Au contraire, si l'on en croit une églogue que lui adressa Segrais quelques années après la représentation des *Précieuses ridicules,* Mlle de Rambouillet avait la plus vive admiration pour les pièces de Molière.

De plus, une trop grande différence sépare le modèle présumé et les deux précieuses :

Et l'on voit mal comment son aristocratique figure pouvait être évoquée par deux petites provinciales, deux bourgeoises aussi sottes que naïves, émerveillées par l'arrivée d'un faux vicomte et d'un pseudo-marquis. Elle-même ne pouvait pas se sentir solidaire de ces caricatures grotesques dont elle devait apparaître fort éloignée.

Que voulait donc dire l'auteur des *Historiettes* ?

Quand Tallemant la cite comme *un des originaux des Précieuses,* rien n'indique qu'il fasse allusion à la comédie de Molière, à ses piètres héroïnes et à leur milieu mesquin, il parle d'un tout autre monde, celui de Christine d'Estrées, fille du maréchal, mariée à François-Marie de Lorraine, comte de Lillebonne, d'Angélique Clarisse d'Angennes, fille du marquis de Rambouillet, mariée au comte de Grignan, de Suzanne d'Aumale d'Haucourt, épouse du maréchal de Schomberg, toutes trois qualifiées de précieuses dans leur milieu, parce qu'elles affectèrent longtemps de repousser les prétendants qu'on leur proposait. Il pense certainement davantage à certains pamphlets qui, à la Cour et dans la belle société, les brocardaient ainsi que Mlle de Montpensier et Mlle de Vandy, auxquelles on faisait le même reproche. Aussi apparaît-il comme invraisemblable que Molière ait pu prendre Mlle de Rambouillet, ou telle autre de ses pareilles, comme modèle de Cathos et de Magdelon.

Tel est le point de vue d'un historien actuel de la préciosité.

◆ Molière se serait-il attaqué à Mlle de Scudéry ? Sans doute son roman de la *Clélie* est-il visé ; Magdelon, l'une des Précieuses, rappelle le prénom de Madeleine de Scudéry au point d'avoir permis à Brunetière de risquer cette hypothèse (*Etudes critiques sur l'histoire de la littérature française,* 2e série) :

S'il est permis de croire que Molière, en donnant ses *Précieuses ridicules,* n'ait pas voulu viser l'hôtel de Rambouillet, il est plus difficile d'admettre, avec Victor Cousin, qu'il n'ait pas songé davantage à Mlle de Scudéry. Le nom de Cathos

a tout l'air d'avoir quelque signification, mais celui de Magdelon en a certainement une, et elle est directe, et Madeleine de Scudéry s'y fût difficilement méprise.

Dans *la Préciosité,* R. La Thuillère écarte cette possibilité ; d'abord le fait de citer la *Clélie* dans le texte de *Sganarelle* qu'on lira plus loin n'est pas une preuve d'hostilité de Molière à l'égard de son auteur :

> Les précieux, amis du Surintendant, et les admirateurs de Sapho, pas plus que Sapho elle-même, ne pouvaient se choquer de ces propos de Gorgibus ; sa raillerie à l'égard de la *Clélie* n'a pas plus de valeur que ses éloges d'ouvrages d'un autre âge. Ils étaient même en droit d'estimer que ces contre-vérités, proférées par un personnage ridicule, déconsidéraient seulement celui qui les énonçait. A la limite, c'était un hommage indirect rendu à Mlle de Scudéry.

De même, d'autre part, Cathos et Magdelon ne peuvent représenter Mlle de Scudéry :

> De manière analogue, Cathos et Magdelon, petites bourgeoises encore tout engluées dans la province, en invoquant la *Carte de Tendre* et en récitant gauchement, sans considérer leur propre condition, toutes les péripéties d'une recherche dans les formes, digne d'Aronce et de Clélie, de Cyrus et de Mandane, ne ridiculisaient qu'elles-mêmes ; leur snobisme maladroit trahit par une application grossière un idéal qu'elles admirent, mais que ni leur niveau social, ni leur éducation, ni leur intelligence ne leur permettent de réaliser. Incapables d'imiter les modèles qu'elles se proposent, elles ne peuvent que les singer. Mlle de Scudéry serait-elle concernée plus directement dans *les Précieuses ridicules* que la vraie dévotion dans *Tartuffe* ? On a vu qu'elle n'en voulait aucunement à Molière ; en revanche, il est frappant de constater combien elle détestait Boileau qui, à plusieurs reprises, l'avait attaquée directement et nommément.

4. LA POSTÉRITÉ DES *PRÉCIEUSES RIDICULES*

4.1. *SGANARELLE*

> Un an après *les Précieuses ridicules,* Molière donnait une farce en vingt-trois scènes et en vers, intitulée *Sganarelle ou le Cocu imaginaire.* Dans la scène première, que nous reproduisons ci-dessous, Gorgibus, bourgeois de Paris, gourmande sa fille Célie. On ne manquera pas de remarquer ces deux noms, non moins que les allusions aux romans.

GORGIBUS, CÉLIE, SA SUIVANTE

CÉLIE, *sortant tout éplorée, et son père la suivant.*
Ah ! n'espérez jamais que mon cœur y consente.

GORGIBUS

Que marmottez-vous là, petite impertinente ?
Vous prétendez choquer ce que j'ai résolu ?
Je n'aurai pas sur vous un pouvoir absolu ?
Et par sottes raisons votre jeune cervelle
Voudrait régler ici la raison paternelle ?
Qui de nous deux à l'autre a droit de faire loi ?
A votre avis, qui mieux, ou de vous ou de moi,
O sotte, peut juger ce qui vous est utile ?
Par la corbleu ! gardez d'échauffer trop ma bile ;
Vous pourriez éprouver, sans beaucoup de longueur,
Si mon bras sait encor montrer quelque vigueur.
Votre plus court sera, Madame la mutine,
D'accepter sans façons l'époux qu'on vous destine.
J'ignore, dites-vous, de quelle humeur il est,
Et dois auparavant consulter s'il vous plaît.
Informé du grand bien qui lui tombe en partage,
Dois-je prendre le soin d'en savoir davantage ?
Et cet époux, ayant vingt mille bons ducats,
Pour être aimé de vous, doit-il manquer d'appas ?
Allez, tel qu'il puisse être, avecque cette somme
Je vous suis caution qu'il est très honnête homme.

CÉLIE

Hélas !

GORGIBUS

Eh bien, « hélas ! » Que veut dire ceci ?
Voyez le bel hélas ! qu'elle nous donne ici !
Hé ! que si la colère une fois me transporte,
Je vous ferai chanter hélas ! de belle sorte !
Voilà, voilà le fruit de ces empressements
Qu'on vous voit nuit et jour à lire vos romans ;
De quolibets d'amour votre tête est remplie,
Et vous parlez de Dieu bien moins que de Clélie[1].
Jetez-moi dans le feu tous ces méchants écrits,
Qui gâtent tous les jours tant de jeunes esprits ;
Lisez-moi, comme il faut, au lieu de ces sornettes,
Les *Quatrains*[2] de Pibrac, et les doctes *Tablettes*

---

1. *Clélie* : roman de Mlle de Scudéry, qui contient la carte du Tendre ; **2.** Il s'agit de 126 quatrains moraux publiés avec grand succès par Guy du Faur de Pibrac (1528-1584). *Matthieu*, historiographe du roi (1563-1621), écrivit des *Tablettes de la vie et de la mort.*

Du conseiller Matthieu, ouvrage de valeur,
Et plein de beaux dictons à réciter par cœur.
La Guide des pécheurs[1] est encore un bon livre :
C'est là qu'en peu de temps on apprend à bien vivre ;
Et si vous n'aviez lu que ces moralités,
Vous sauriez un peu mieux suivre mes volontés.

CÉLIE

Quoi ! vous prétendez donc, mon père, que j'oublie
La constante amitié que je dois à Lélie ?
J'aurais tort si, sans vous, je disposais de moi ;
Mais vous-même à ses vœux engageâtes ma foi.

GORGIBUS

Lui fût-elle engagée encore davantage,
Un autre est survenu dont le bien l'en dégage.
Lélie est fort bien fait ; mais apprends qu'il n'est rien
Qui ne doive céder au soin d'avoir du bien ;
Que l'or donne aux plus laids certain charme pour plaire,
Et que sans lui le reste est une triste affaire.
Valère, je crois bien, n'est pas de toi chéri ;
Mais, s'il ne l'est amant, il le sera mari.
Plus que l'on ne le croit ce nom d'époux engage,
Et l'amour est souvent un fruit du mariage.
Mais suis-je pas bien fat de vouloir raisonner
Où de droit absolu j'ai pouvoir d'ordonner ?
Trêve donc, je vous prie, à vos impertinences !
Que je n'entende plus vos sottes doléances.
Ce gendre doit venir vous visiter ce soir :
Manquez un peu, manquez à le bien recevoir ;
Si je ne vous lui vois faire fort bon visage,
Je vous... Je ne veux pas en dire davantage.

4.2. APRÈS 1660

On cherchera comment Molière, des *Précieuses ridicules* aux *Femmes savantes,* retrouve le problème, ce qu'il en pense. On lira de même dans *Morales du Grand Siècle* de Paul Bénichou (Idées, Gallimard) comment se situe Molière en face de la préciosité selon le critique (p. 302 et suivantes).
Dans sa thèse sur *Marivaux et le marivaudage,* F. Deloffre cite ce passage de Fontenelle, dans les *Entretiens de la pluralité des mondes* (Premier Soir), qui illustre la préciosité de style de l'auteur :

---

1. *La Guide des pécheurs* est l'œuvre du dominicain espagnol Louis de Grenade (1505-1588).

« Il semblerait, interrompit la marquise, que votre philosophie est une espèce d'enchère, où ceux qui offrent de faire les choses à moins de frais l'emportent sur les autres. — Il est vrai, repris-je, et ce n'est que par là qu'on peut attraper le plan sur lequel la nature a fait son ouvrage. Elle est d'une épargne extraordinaire [...]. Cette épargne, néanmoins, s'accorde avec une magnificence surprenante qui brille dans tout ce qu'elle fait. C'est que la magnificence est dans le dessein, et l'épargne dans l'exécution. »

Pour la préciosité ridicule, cette scène de revue que Lesage et d'Orneval introduisirent dans *les Amours déguisés* (opéra-comique, 1726) en donnera un échantillon. F. Deloffre, qui cite ce texte, le situe ainsi :

Rappelons que le Dieu d'Amour a convoqué tous les « amours déguisés ». De petits Amours viennent de faire comparaître plusieurs justiciables du Dieu devant son ministre Arlequin. Ils amènent maintenant Mlle Raffinot, qui proteste.

Voici la scène *in extenso* :

Mlle RAFFINOT. — Oh! pour cela, rien n'est plus disgracieux.

ARLEQUIN. — Vous vous plaignez des amours, apparemment.

Mlle R. — Oui, leur procédé est singulièrement tyrannique. Quoi! Mademoiselle Raffinot, fille teinte de sagesse et propriétaire de sa liberté, se verra livrée à la discrétion de l'audace de ces petits étourdis ?

ARL. — Voilà, ce me semble, une précieuse ridicule. (*Haut*) Qui êtes-vous, mademoiselle ?

Mlle R. — (*Air : « J'ai fait souvent résonner ma musette »*)
Je suis l'appui du style énigmatique
Qui fait le beau des modernes écrits.

ARL.   Ah! vous donnez dans le Néologique,
Autrement dit l'argot des beaux-esprits.

Mlle R. — Que voulez-vous dire, mon ami, par votre argot ? Il faut que vous soyez partagé d'un esprit bien agreste et bien infortuné pour vous permettre l'ironie sur un style qui met vos lumières en échec, et qui passe la borne de vos conceptions.

ARL. — C'est ce qui vous trompe, mademoiselle Raffinot. J'ai été deux ans garçon dans un café où l'on ne crachait que Phoebus. Là les génies de la grande espèce ont fait sortir mon esprit de sa coquille, et je puis dire qu'en les écoutant, j'ai perçu les émoluments de mon attention.

Mlle R. — Mais vraiment, vous m'en montrez déjà un bel échantillon.

ARL. — Mais venons au fait. Pourquoi les Amours vous ont-ils amenée ici ?

Mlle R. — C'est ce que j'ignore. J'étais dans ma bibliothèque, où mon esprit, par le voyage de mes yeux, faisait le voyage du monde à la Lune.

>   (*Air* : « *Ramonez-ci, ramonez-là* »)
>   Pendant que j'étais à faire
>   Ce voyage sédentaire
>   Les Amours m'ont prise, hélas,
>   L'un par-ci, l'autre par-là,
>   La, la, la,
>   Et me voilà dans leurs Etats.

ARL. — Il faut bien qu'ils vous soupçonnent de vous être coiffée de quelqu'un.

Mlle R. — Ah ! je vois ce que c'est ! Dorimon, mon voisin, homme qui a donné beaucoup d'éducation à son esprit, vient souvent s'enfermer avec moi dans mon cabinet.

ARL. (à part) . — Nous y voilà.

Mlle R. — Nous y faisons des collections de termes nouveaux, que forgent tous les jours, sur l'enclume du bon goût, les Génies conséquents et lumineux.

ARL. — Fort bien. Poursuivez.

Mlle R. — Comme la personne de Dorimon est un faisceau de grâces nobles et imposantes, et que j'ai, sans vanité sur les agréments, un visage assez disciplinable, les Amours se seront imaginés que nous sommes tombés amoureux l'un de l'autre.

ARL. — Tomber amoureux ! Oh ! pour celui-là, je ne l'avais pas encore entendu.

Mlle R. — Eh ! oui ! tomber amoureux. Ne dit-on pas tomber malade ? Or comme l'amour est une maladie, on doit dire tomber amoureux, et tomber en amour, comme tomber en apoplexie.

ARL. — Laissons-là le terme, et revenons à Dorimon.

>   (*Air* : « *Si l'on menait à la guerre* »)
>   Il paraît, ma bonne dame,
>   Qu'avec ce joli mortel
>   Vous abandonnez votre âme
>   A son geste naturel.

C'est-à-dire, en bon français, que vous avez de l'amour pour lui.

Mlle R. — Non, je n'en ai point, cela est décidé. Il est bien vrai qu'un sentiment vif et délicat nous uniformise l'un à l'autre.

>   (*Air* : « *Eh ! ne vous estimez pas tant !* »)

ARL.   Nous nous estimons fortement.
                    Eh! ne vous estimez pas tant!

Mlle R.   Au point que pour nous un moment
                    D'éloignement est un tourment.

ARL.   Eh! ne vous zeste, zeste, zeste,
                    Eh! ne vous estimez pas tant.

Tudieu! voilà un sentiment d'estime à vingt-quatre carats.

(Fin de l'air : « Monsieur Charlot »)
           Qu'il est joli!
           Qu'il est gentil!
        A l'Amour il ressemble,
        On dirait que c'est lui.

Mlle R. — Allez, mon cher, vous jugez mal de la figure de mes sentiments. La lorgnette de votre pénétration est trouble.

ARL. — Tirez, tirez, madame la précieuse, les Amours vous feront bien voir que vous jouissez frauduleusement de leurs biens.

Mlle R. — Vous êtes un insolent. Si les femmes portaient à leur côté un fardeau secourable, je vous le passerais au travers du corps. *(Elle se retire.)*

ARL. — Quelle Amazone du Parnasse!... Il vaudrait mieux qu'elle eût à la tête un fardeau de bon sens (*Théâtre de la Foire,* sc. x, p. 386-389).

5. BILAN SUR *LES PRÉCIEUSES RIDICULES*

Voici deux points de vue différents.

◆ Michaut, *les Débuts de Molière :*

A. Magdelon et Cathos [...] sont avant tout des vaniteuses. Elles ont senti la vulgarité bourgeoise du milieu où elles ont été formées et elles ont voulu s'élever au-dessus de leur condition. Mais elles étaient trop sottes, quoi qu'elles en aient cru, pour apprendre vraiment le « bel air » des choses : elles n'ont fait que le singer, le signe de la distinction pour elles, c'est de « se graisser le museau » avec du blanc d'œufs et du lait virginal, de s'affubler de noms de « beau style », de parler le jargon à la mode, de tenir bureau d'esprit, de passer pour « connaisseuses » et surtout de réaliser dans leur vie le romanesque convenu des romans en vogue dont elles se sont repues.

Et vingt-cinq pages plus loin :

B. Molière a tenu à nous montrer jusqu'à quels vices du cœur peuvent mener ces égarements de l'esprit [*à propos de Magdelon* « qui espère découvrir un jour quelque faute dans la vie

de sa mère défunte »]. Et toute sa sévérité comme la nôtre tombe à plein moins sur deux folles que sur la littérature qui les a affolées. Les voilà, ces romans de Mlle de Scudéry, que tout le beau monde dévore, dont se nourrissent jusqu'au fond des provinces ceux et celles qui aspirent à passer pour « spirituels » : voilà comme ils déforment la réalité, voilà comme ils faussent les intelligences, gâtent le goût, vicient le sentiment même. Contraires à la nature et à la vérité, leur réputation est donc usurpée, et usurpée également est la gloire de leur auteur.

◆ R. La Thuillère, *la Préciosité* (p. 142 à 144).

Ce qui est en question dans *les Précieuses ridicules,* c'est donc moins la préciosité des romans et des salons, avec ses mérites et peut-être ses défauts à ce niveau qui est naturellement le sien et où elle prend sa valeur véritable, que son avilissement dans un milieu bourgeois qui la travestit et la dégrade. La juste harmonie qui devrait s'établir entre le rang social de Cathos et de Magdelon et leurs ambitions légitimes est rendue impossible par leur sottise et leur prétention ; elles veulent masquer leur médiocrité, dont elles ont pris conscience et dont elles souffrent, en se donnant de grandes et nobles apparences qui ne correspondent à rien ; victimes de leurs propres illusions et d'autant plus ridicules, elles ignorent cette vertu tant vantée au xviie siècle et définie par Jean Pic *comme une sorte d'exactitude avec laquelle on observe tout ce que l'on se doit à soy-mesme, comme une sorte de circonspection avec laquelle on entre dans tout ce que l'on doit aux autres,* la bienséance, qui *consiste à garder, en toutes nos actions, une grande proportion avec les autres et avec nous-mesmes.* Mesure, exactitude, proportion, bienséance, toutes qualités bafouées par les pecques provinciales, les femmes savantes, le bourgeois gentilhomme, d'autres encore que Molière a ridiculisés sans qu'il ait pour autant cherché à atteindre la véritable préciosité, la science des savants, la noblesse authentique.
Une dernière difficulté subsiste encore : quelle valeur accorder au langage précieux de Cathos, Magdelon, Mascarille et Jodelet ? On a vu que les avis étaient partagés à ce sujet. Livet, dans l'édition qu'il a donnée de la pièce, s'est livré à un important travail de recherche ; il distingue le « style précieux » et le « langage précieux » ; le premier est très différent du second, dont Somaize a relevé un grand nombre d'expressions dans ses *Dictionnaires :* il est affété, mignard, galant avec affectation, d'un badinage plus ou moins acceptable, mais ne comprend pas les termes ou les tournures recueillis par Molière dans sa comédie et par son plagiaire dans ses divers ouvrages ; répandu largement dans la littérature du temps, *il n'employait que les mots de la langue usuelle ;*

en somme, il correspond à la langue de la galanterie et à la langue noble, telles qu'on les trouve aussi bien dans les lettres de Voiture que dans la tragédie et certains passages de la grande comédie. Il est considéré comme tel par un lecteur moderne, les contemporains ne l'ayant jamais défini de cette manière. Le « langage précieux », au contraire, a été délimité par Somaize et Molière, qui en ont donné des exemples précis, ainsi que par des écrivains et des grammairiens comme Sorel et Bouhours, de façon beaucoup plus sommaire toutefois. Il va de soi que l'expression de *style précieux* ne peut être conservée ; elle risque de prêter à confusion ; elle n'a pas de définition précise ; elle recouvre des réalités différentes, selon les appréciations des critiques postérieurs ; elle n'a aucune existence pour les grammairiens du XVIIᵉ siècle et, au mieux, ne pourrait correspondre à leurs yeux qu'au style figuré, différent de ce qu'ils ont qualifié de précieux. Quant au *langage précieux*, Livet l'a étudié en faisant confiance, dans l'ensemble, à Molière et à Somaize. Il a *lu et relu* Balzac, Voiture, Sarasin, Godeau, les recueils de Sorel, de Sercy, de Mᵐᵉ de La Suze, des milliers de lettres manuscrites ou imprimées ; il n'y a nulle part trouvé, *personne n'y trouvera jamais,* dit-il, une langue semblable à celle de Cathos et de Magdelon ; seules *les Précieuses ridicules* et les plates imitations de Somaize donnent des pages entières écrites dans ce jargon. Il n'est pourtant pas conduit par cette troublante constatation à mettre en doute la véracité et l'objectivité de ces témoins. Comment alors expliquer cette singularité ? Selon lui, ce que les précieux voulaient,

« ... c'était renouveler en quelque sorte la langue en procédant par choix, par exclusion et par addition... c'était imposer sur l'heure à la langue ces transformations qui atteignent toutes les langues sous l'action du temps ; c'était la renouveler brusquement sans le concours nécessaire de l'usage, réglé par une sorte de conspiration latente de toute la nation, et par un accord lentement préparé entre la langue écrite et la langue parlée... Ces modifications, jugées nécessaires, les précieux et les précieuses ont voulu les opérer en un jour. Là est le tort. »

LA GVIRLANDE DE IVLIE.

LA GUIRLANDE DE JULIE

couverture du manuscrit est ornée d'une guirlande de fleurs pein
as Robert. Le texte des madrigaux et des sonnets écrits par les po
l de Rambouillet est calligraphié par Jarry. Julie d'Angennes
deau le 1ᵉʳ janvier 1634.

Mascarille. — Ah! vicomte!
Jodelet. — Ah! marquis!

FRONTISPICE DE L'ÉDITION DE 1682

JUGEMENTS
SUR « LES PRÉCIEUSES RIDICULES »

XVIIᵉ SIÈCLE

Cette lettre rimée de Loret, du 6 décembre 1659, est un témoignage de l'énorme succès de la pièce :

> Cette troupe de comédiens
> Que Monsieur avoue être siens
> Représentant sur leur théâtre
> Une action assez folâtre,
> Autrement un sujet plaisant,
> A rire sans cesse induisant
> Par des choses facétieuses,
> Intitulé *les Précieuses*,
> Ont été si fort visités
> Par gens de toutes qualités,
> Qu'on en vit jamais tant ensemble
> Que ces jours passés, ce me semble,
> Dans l'hôtel du Petit-Bourbon,
> Pour ce sujet mauvais ou bon,
> Ce n'est qu'un sujet chimérique,
> Mais si bouffon et si comique,
> Que jamais les pièces du Ryer,
> Qui fut si digne du larmier, [...]
> N'eurent une vogue si grande,
> Tant la pièce semble friande,
> A plusieurs tant sages que fous.
> Pour moi, j'y portai trente sous,
> Mais oyant leurs fines paroles,
> J'en ris pour plus de dix pistoles.

Loret,
6 décembre 1659.

XVIIIᵉ SIÈCLE

Le siècle des lumières, qui verra Rivarol célébrer la clarté de la langue de Descartes dans son fameux Discours sur l'universalité de la langue française, *ne pouvait qu'applaudir à la leçon des* Précieuses ridicules. *Ainsi, pour La Harpe, la pièce de Molière est un événement littéraire d'une importance capitale :*

Les Précieuses ridicules, *quoique ce ne fût qu'un acte sans intrigues, firent une véritable révolution : l'on vit, pour la première fois*

sur la scène, le tableau d'un ridicule réel et la critique de la société. Le jargon des mauvais romans, qui était devenu celui du beau monde, le galimatias sentimental, le phébus des conversations, les compliments en métaphores et en énigmes, la galanterie ampoulée, la richesse des flux de mots, toute cette malheureuse dépense d'esprit pour n'avoir pas le sens commun fut foudroyée d'un seul coup.

La Harpe,
Lycée (1799).

XIXe SIÈCLE

Les romantiques ne se sont guère intéressés aux Précieuses ridicules. Mais nous trouvons, sous la plume de l'historien de Port-Royal, un rapprochement intéressant entre Pascal et Molière. Sainte-Beuve, du reste, connaissait admirablement ce milieu de la préciosité qui revit dans ses Portraits de femmes :

Molière balaya la queue des mauvais romans. La comédie des *Précieuses ridicules* tua le genre; Boileau, survenant, l'acheva par les coups précis et bien dirigés dont il atteignit les fuyards. Pascal avait commencé. Pascal et *les Précieuses ridicules*, ce sont les deux grands précédents modernes, et les modèles de Despréaux. Pascal avait flétri le mauvais goût dans le sacré; Molière le frappait dans le profane.

Sainte-Beuve,
Portraits littéraires (1844).

XXe SIÈCLE

Les critiques modernes, comme René Bray, semblent surtout s'intéresser à l'aspect scénique et comique de la farce des Précieuses. Et la valeur purgative du rire éclate d'autant plus, comme l'écrit Ramon Fernandez :

Molière est allé beaucoup plus loin que la farce, mais ce genre convenait à son génie, il aimait peindre en grand, à fresque comme il dit lui-même, accuser l'idée comique franchement, forcer les traits et les gestes, presser le mouvement, gagner le rire d'assaut. Il règne dans ces *Précieuses* un air de grandeur comique qui étonna, dans un mouvement de brusquerie héroïque et burlesque, parmi les appels de pieds, les renversements de torse, les répliques sonnantes. Ce ballet ridicule où la raison se disloquait en fantaisie éveilla chez les spectateurs un plaisir nouveau mêlé de reconnaissance.

Ramon Fernandez,
Vie de Molière (1930).

Enfin, voici une mise au point historique et critique d'Antoine Adam concernant le problème, toujours débattu, des véritables intentions de Molière :

Molière est le premier qui ait consacré une pièce de théâtre à faire la satire d'une mode et, pis encore, une satire personnelle et qui atteignait des personnages connus [...]. Il suffit de rappeler la farce des *Précieuses* et la polémique anti-Précieuse de l'époque pour comprendre que Molière a joint sa voix à celle des écrivains qui, depuis trois ou quatre ans, combattaient la préciosité, à l'abbé d'Aubignac, à Sauval, à l'abbé Cotin [...]. Molière a dans l'esprit les excès de la littérature précieuse, celle, en particulier, de Madeleine de Scudéry [...]. *Les Précieuses* sont, dans son esprit, une caricature bouffonne. Elles ne sont pas, elles ne prétendent pas être un fidèle tableau de la préciosité.

Antoine Adam,
Histoire de la littérature française au XVIIe siècle,
tome III (1952).

SUJETS DE DEVOIRS ET D'EXPOSÉS

NARRATIONS

● Pour la troupe de Molière, c'est la « première » au Petit-Bourbon. En utilisant vos connaissances d'histoire et vos lectures, essayez de reconstituer l'événement.

● Vous venez d'assister à une représentation moderne des *Précieuses ridicules* et vous écrivez à un de vos amis pour lui faire part de vos impressions.

● Mme de Rambouillet reçoit : reconstituez la scène.

● Dans son journal intime, une Précieuse transcrit le détail d'une de ses journées. Vous composerez cette relation en vous aidant des *Précieuses ridicules*.

● Il y a quelques années, Magdelon s'était réincarnée dans le personnage fictif de « Marie-Chantal ». A la manière de La Bruyère, faites le portrait de la snobinette : manière de s'habiller — langage — habitudes.

● Analysez avec humour la redoutable puissance de la mode.

● Qu'est-ce qu'un esprit romanesque ? une aventure romanesque ?

● Peut-on, à votre avis, représenter *les Précieuses ridicules* en langue étrangère ?

● Analysez de façon pittoresque une qualité que l'excès transforme en défaut.

DISSERTATIONS

● Quel plaisir et quel profit personnel vous a apportés l'étude des *Précieuses ridicules* ?

● Comique de farce et d'observation humaine dans *les Précieuses ridicules*.

● Montrez comment *les Femmes savantes* sont une amplification des *Précieuses ridicules*.

● L'abbé d'Aubignac voyait dans *les Précieuses ridicules* une « protestation utile ». Pour certains historiens récents, la pièce des *Précieuses* n'est, au contraire, « qu'un simple jeu ». Expliquez et donnez votre opinion.

● Commentez, en vous servant des *Précieuses ridicules,* le mot fameux de Cocteau : « Il faut savoir jusqu'où on peut aller trop loin. »

● A l'aide d'exemples empruntés au théâtre de Molière, commentez ces paroles d'un critique contemporain (P. Bénichou) : « Si Molière condamne la préciosité, il se trouve solidaire d'elle pour briser les vieilles contraintes et affirmer les droits de l'amour. »

● Expliquez et discutez, s'il y a lieu, ces paroles de Brunetière : « Il y a de tout temps, en France, deux tendances qui se combattent pour ne réussir à se concilier que dans les très grands écrivains. Au-dessous d'eux, les uns sont gaulois, les autres précieux. L'esprit gaulois, c'est un esprit d'indiscipline et de raillerie dont la pente naturelle, pour aller tout de suite aux extrêmes, est vers le cynisme et la grossièreté. L'esprit précieux est un esprit de mesure et de politesse qui dégénère trop vite en un esprit d'étroitesse et d'affectation [...]. Le véritable esprit français, tel que nos vraiment grands écrivains l'ont su représenter, s'est efforcé d'accommoder ensemble les justes libertés de l'esprit gaulois et les justes scrupules de l'esprit précieux. »

● Que veut dire ce critique contemporain quand il écrit : « La préciosité porte en elle un classicisme qui la tuera »?

● « La préciosité était autre chose qu'un enjouement de désœuvrés. Elle était l'expression d'une vie mondaine dont Molière n'a pas triomphé. » Quel sens et quelle portée attribuez-vous à cette réflexion de D. Mornet?

———————

TABLE DES MATIÈRES

IMPRIMERIE HÉRISSEY. — 27000 - Évreux
Dépôt légal Novembre 1970.
No 31375. — No de série Éditeur 11505.
IMPRIMÉ EN FRANCE *(Printed in France)*.
34 666 B- Mars 1983.

un dictionnaire de la langue française pour chaque niveau :

NOUVEAU DICTIONNAIRE DU FRANÇAIS CONTEMPORAIN ILLUSTRÉ
sous la direction de Jean Dubois

• 33 000 mots : enrichi et actualisé, tout le vocabulaire qui entre dans l'usage écrit et parlé de la langue courante et que les élèves doivent savoir utiliser à l'issue de la scolarité obligatoire.
• 1 062 illustrations : un apport descriptif complémentaire des définitions et qui permet l'introduction de termes plus spécialisés n'appartenant pas au vocabulaire courant ou ne nécessitant pas d'explication autre que celle de l'image.
• Un dictionnaire de phrases autant qu'un dictionnaire de mots, comme dans l'édition précédente, selon les mêmes principes de description du lexique et du fonctionnement de la langue.
• Le dictionnaire de la classe de français (90 tableaux de grammaire, 89 tableaux de conjugaison).

Un volume cartonné (14 × 19 cm), 1 296 pages.

LAROUSSE DE LA LANGUE FRANÇAISE lexis
sous la direction de Jean Dubois

Avec plus de 76 000 mots des vocabulaires courant, classique et littéraire, technique ou scientifique , c'est le plus riche des dictionnaires de la langue en un seul volume.
Par la diversité de ses informations sur les mots, par la construction raisonnée de ses articles et par son dictionnaire grammatical, c'est un instrument de pédagogie active : il s'adresse aussi à tous ceux qui veulent comprendre le fonctionnement de la langue et acquérir la maîtrise des moyens d'expression.

Nouvelle édition illustrée : un volume relié (15,5 × 23 cm), 2 126 pages dont 90 planches d'illustrations par thèmes.

GRAND LAROUSSE DE LA LANGUE FRANÇAISE
7 volumes sous la direction de L. Guilbert, R. Lagane et G. Niobey; avec le concours de H. Bonnard, L. Casati, J.-P. Colin et A. Lerond

Un dictionnaire unique parce qu'il réunit :
• la description la plus complète du vocabulaire général, scientifique et technique, classique et littéraire, avec prononciation, syntaxe et remarques grammaticales, étymologie et datations, définitions avec exemples et citations, synonymes, contraires, etc.;
• la documentation la plus riche sur la grammaire et la linguistique : près de 200 articles (à leur ordre alphabétique) donnant une analyse détaillée des diverses théories, passées ou actuelles, sur les principaux concepts grammaticaux et linguistiques;
• un traité de lexicologie exposant les principes de la formation des mots et la construction des unités lexicales.

7 volumes reliés (21 × 27 cm).

dictionnaires pour l'étude du langage

une collection d'ouvrages reliés (13,5 × 20 cm) indispensables pour une connaissance approfondie de la langue française :

NOUVEAU DICTIONNAIRE ANALOGIQUE*
Par G. Niobey. Les différents termes capables d'exprimer une idée.

DICTIONNAIRE DE L'ANCIEN FRANÇAIS jusqu'au milieu du XIVᵉ siècle*
Par A. J. Greimas. Indispensable aux étudiants et professeurs médiévistes, ainsi qu'aux lettrés.

DICTIONNAIRE DES DIFFICULTÉS DE LA LANGUE FRANÇAISE*
(couronné par l'Académie française), par Adolphe V. Thomas.

NOUVEAU DICTIONNAIRE ÉTYMOLOGIQUE*
Par A. Dauzat, J. Dubois et H. Mitterand. Près de 50 000 mots étudiés.

DICTIONNAIRE DU FRANÇAIS CLASSIQUE
Par J. Dubois, R. Lagane, A. Lerond.
Le vocabulaire des grands « classiques » du XVIIᵉ siècle.

DICTIONNAIRE DE LINGUISTIQUE
Par J. Dubois, M. Giacomo, L. Guespin, Ch. et J.-B. Marcellesi et J.-P. Mével.
Le vocabulaire qu'il faut connaître pour aborder l'étude de la linguistique.

DICTIONNAIRE DES LOCUTIONS FRANÇAISES
Par M. Rat. Un inventaire des gallicismes et des mots d'auteur entrés dans la langue.

NOUVEAU DICTIONNAIRE DES MOTS CROISÉS*

DICTIONNAIRE DES NOMS DE FAMILLE et prénoms de France*
Par A. Dauzat. 30 000 noms : leur source étymologique, historique et géographique.

DICTIONNAIRE DE LA PRONONCIATION
Par A. Lerond. La prononciation réelle du français d'aujourd'hui.

DICTIONNAIRE DES PROVERBES, SENTENCES ET MAXIMES*
Par M. Maloux. Pittoresque, instructive, toute la « sagesse des nations ».

DICTIONNAIRE DES RIMES orales et écrites
Par L. Warnant. Par ordre d'entrée phonétique de la dernière syllabe tonique.

LAROUSSE DU SCRABBLE®* dictionnaire des jeux de lettres
Par M. Pialat.

NOUVEAU DICTIONNAIRE DES SYNONYMES*
Par E. Genouvrier, C. Désirat et T. Hordé. Le choix du mot le plus juste.

DICTIONNAIRE DES VERBES FRANÇAIS
Par J.-P. et J. Caput. Tous les renseignements nécessaires à leur utilisation totale et précise.

(*) Existe également en format de poche dans la collection « Dictionnaires de poche de la langue française ». Ainsi que : LAROUSSE DES CITATIONS FRANÇAISES.

les principaux dictionnaires encyclopédiques :

PETIT LAROUSSE
La nouvelle édition du Petit Larousse n'a pas été mise à jour, comme les années précédentes, mais entièrement refaite pour être encore plus riche :
• avec 75 700 articles, vocabulaire et noms propres ont considérablement augmenté en nombre, dans le domaine culturel comme dans les secteurs spécialisés;
• renouvellement complet de l'illustration, plus expressive et plus documentaire; cartographie plus abondante, à la fois très précise et très lisible.

PETIT LAROUSSE
Un volume relié (15 × 20,5 cm), 1 906 pages dont 16 « pages roses » et 54 hors texte en couleurs.

PETIT LAROUSSE EN COULEURS
Un volume relié (18 × 23 cm), 1 702 pages dont 16 « pages roses ».

PLURIDICTIONNAIRE
A partir de la 6e. Le seul dictionnaire toutes disciplines qui couvre à la fois les programmes d'enseignement et tous les autres domaines de vie active auxquels les élèves s'intéressent. La base des travaux sur documents et du travail individuel.
Un volume relié (15,5 × 23 cm), 1 560 pages dont 64 hors texte en couleurs.

DICTIONNAIRE ENCYCLOPÉDIQUE LAROUSSE
1 volume en couleurs
Grand dictionnaire par son format et par la qualité de son illustration, mais en un seul volume facile à consulter, il réunit noms communs et noms propres :
• il fait connaître tout le vocabulaire de la langue courante et des grands domaines de la culture contemporaine;
• il fait comprendre les réalités du monde moderne;
• il fait voir par l'abondante illustration en couleurs.
Un volume relié (23 × 29 cm), 1 536 pages, près de 4 300 illustrations.

LAROUSSE 3 VOLUMES EN COULEURS
Nouvelle édition mise à jour.
Un très beau dictionnaire encyclopédique, remarquablement illustré en couleurs d'un bout à l'autre de l'ouvrage. Il regroupe les mots par « famille » et donne des tableaux récapitulatifs pour tous les sujets importants et de grands ensembles de documentation visuelle.
3 volumes reliés (23 × 30 cm), 118 146 articles, 12 554 illustrations et 542 cartes.

GRAND LAROUSSE ENCYCLOPÉDIQUE
Le plus riche et le plus important de tous les grands dictionnaires encyclopédiques par l'ampleur de sa documentation (à la fois sur tout ce qui concerne la langue française et sur toutes les connaissances, du passé et du présent), la diversité de l'illustration, les citations littéraires, les renvois à d'autres articles complémentaires, la bibliographie dans chaque volume pour tous les sujets importants.
10 volumes + 2 suppléments de mise à jour, reliés (21 × 27 cm), 189 612 articles, 410 hors texte en couleurs, 36 355 illustrations et cartes en noir.